Vitaly

Learning English Creatively for Russian-speaking Students

Виталий Левенталь

ЗАНИМАТЕЛЬНЫЙ АНГЛИЙСКИЙ

EDULINK

New York

Vitaly Leventhal

LEARNING ENGLISH CREATIVELY for Russian-speaking Students

Виталий Левенталь

ЗАНИМАТЕЛЬНЫЙ АНГЛИЙСКИЙ

Cover design: Alexandr Bloch
Photo: Mark Kopelev

Library of Congress Control Number 00-091084
ISBN 0-9660505-2-5

Published by EDULINK
P.O.Box 378
New York, NY 10040

Printed in the United States of America

Моей жене Руне

ПРЕДИСЛОВИЕ

Уважаемый читатель, перед Вами необычная книга и я хочу пояснить ее замысел. Название книги не случайно перекликается со знаменитыми работами И. Я Перельмана "Занимательная математика" и "Занимательная физика", которые привили миллионам российских детей если не любовь, то хотя бы уважение к этим наукам, и главное, расчистили завалы страха и скуки, мешавшие ученикам добраться до сути.

Неожиданным в подходе Перельмана было то, что он отказался от последовательного изложения материала, который присутствует в любом учебнике (будь то арифметика или иностранный язык), когда читателя можно отослать к предыдущим или последующим главам. Вместо этого он разбил свой рассказ на фрагменты, где одна тема представала в ясном и занимательном виде и "будила мысль читателя". Вот эту идею я и попытался применить к английскому языку.

Почему это важно? Если бы кто-то объявил фантастический конкурс на **бесплодность массовых усилий людей**, то изучение английского русскоязычными учениками могло бы занять на нем видное место (прикиньте количество человеко-лет, потраченных в российских школах и институтах). Я уже писал в своем учебнике "Английский язык: Просто о сложном": английский язык в такой степени непохож на русский и подчиняется другим законам, что взрослый человек, пытающийся учить его, не вникая в эти различия, **"пробует накормить журавля с тарелки".** Поэтому первая задача этой книги - "налить материал в сосуд, подходящий для нашего клюва".

Теперь о второй задаче. Помните, в Союзе были журналы с такими названиями - Наука и Жизнь, Химия и Жизнь и т.д. Их отличало внимание к практическим, житейским деталям излагаемого материала. Так вот, я мог бы дать этой книге другое, полушуточное название - Английский язык и Жизнь. Казалось бы, учебников английского языка великое множество, но порой возникает впечатление,что они написаны специалистами для специалистов. Между ними и жизнью - огромный разрыв. Я же хотел, чтобы эта книга приоткрыла дверь в мир живой американской речи. Поэтому, помимо объяснений, в нее вошли строчки из песен, рекламных лозунгов, любимых американцами повседневных выражений и идиом, собранных мною за годы жизни и преподавательской практики в Америке.

Я хочу выразить свою признательность Людмиле Григорьевне Шаковой, редактору газеты "Новое Русское Слово", где впервые стали печататься главы из этой книги.

Я благодарен двум специалистам, взявшим на себя труд критического прочтения рукописи - Доре Бараш (русский текст) и Colleen Sunderland - (английский текст).

Хочу также сказать, что я признателен многим тысячам читателей, которые за это время позвонили или написали мне, давая понять, что бесконечные вечера и выходные, проведенные за письменным столом, были потрачены не впустую.

Автор

ОГЛАВЛЕНИЕ

Глава 1

ЧАСТЬ РЕЧИ - ВЕЛИЧИНА ПЕРЕМЕННАЯ

Для начала я хочу вам предложить перевести кем-то найденную каверзную фразу:

First bottle the milk.

Единственная подсказка: это не просто несколько слов, а законченное предложение. Заинтриговав вас таким образом, я начну строить цепочку рассуждений, которая приведет нас к правильному ответу.

Грамматика начинается для нас с деления всех слов на части речи. Кстати, она начиналась с этого и в буквальном, историческом смысле. Основы грамматики, как и прочих наук, были заложены древними греками. Платон первым стал выделять существительное и глагол. Аристотель тоже различал их, все остальные слова он называл союзами. Теперь наука уже не довольствуется такими простыми категориями, однако в подходе классиков есть одна идея, которая может пригодиться тем, кто изучает новый язык: хотя части речи молчаливо предполагаются равноправными, некоторые из них "более равны", чем другие.

Три основные части речи различать совершенно необходимо, их сокращенные обозначения также понадобятся вам:

(n) noun - существительное;

(a) adjective - прилагательное;

(v) verb - глагол.

У каждой части речи свои "правила поведения", т.е. своя грамматика. Большая загвоздка, однако, состоит в том, что в русском и английском языках одни и те же части речи ведут себя по-разному, постоянно задавая нам загадки.

Слова в каждом языке живут семьями, состоящими из разных частей речи: (напр. боль, болезнь (сущ.), болезненный (прил.), болеть (гл.). Если представить себе, что родственные слова - это комнаты в одной квартире, то суффиксы и приставки -это те двери, что их соединяют, они "ведут из одной части речи в другую".

На логику в языке накладывается еще и игра случая. Какая часть речи слово "больной"? Ответов два:

Он очень **больной** (прилагательное) человек.

К нам поступил новый **больной** (существительное).

Такое явление - переход одной части речи в другую без изменения формы называется конверсией, в русском языке оно встречается не часто, а вот в английском - на каждом шагу. Вообще говоря, для родственных слов есть три способа перейти из одной части речи в другую (при этом в английском языке все они активно используются):

1) без изменения формы (конверсия):

(v) drink - пить; **(n) drink** - питье, напиток.

2) с помощью суффикса:

(a) real - действительный,настоящий; **(n) reality** - действительность

3) как Бог на душу положит:

(v) eat - есть, кушать; **(n) food** - еда, пища.

Самый необычный для нас - это первый способ, конверсия. Освоиться с ним - необходимая задача начального этапа обучения, так как он крайне характерен для английского языка. При этом некоторые слова остаются как бы “в том же русле” (это проще):

(n), (v) work, love, play;

другие сохраняют свое значение только отчасти:

(n) head - голова; **(v) head** - возглавлять, направлять;

(n) hand - рука, кисть руки; **(v) hand** - вручать, передавать;

(n) face - лицо;

(v) face - смотреть в лицо; быть обращенным к чему-либо;

Let us face the truth. - Давайте посмотрим в лицо правде.

The house faces the river. - Дом выходит фасадом на реку.

(a) cold - холодный; **(n) cold** - насморк, простуда.

Как видите, у каждого слова свои особенности, но есть и одна общая, удивительная для нас закономерность: любое существительное, встав перед другим существительным, становится его определением, т.е. берет на себя роль прилагательного.

a stone heart - каменное сердце;

a shoe store - обувной магазин;

a pocket book - книга карманного формата.

Порядок слов при этом становится решающим, так как предыдущее существительное всегда определяет последующее:

a coffee table - журнальный столик;

table tennis - настольный теннис;

a paper wall - бумажная стена;

wall paper - обои (т.е. стенная бумага).
(Кстати, обратите внимание, как иногда артикль становится ненужным, но об этом мы поговорим подробнее в другой раз).

Совсем уже необычно для нас то, что подряд могут стоять и три существительных, и четыре, и даже пять, при этом каждое из них определяет последующее слово:

toy house furniture - мебель для игрушечного домика;
a front page story - материал на первой странице (газеты) ;
a blood sugar level - уровень сахара в крови;
Boston university football team - футбольная команда Бостонского университета;
life insurance premium increase scandal - скандал по поводу увеличения взносов по страхованию жизни.

Взглянем теперь в общем виде на то, как части речи могут подменять друг друга. Мы начали с того, как глагол с легкостью переходит в существительное и обратно; скоро мы увидим, как он может дублировать и прилагательное. Сейчас выясняется, что существительное может выполнять работу прилагательного. Это возвращает нас к мысли о "неравноправии" частей речи. Ведь взаимозаменяемость идет только в одну сторону, от более важных к менее важным.

Глагол является фундаментом английской фразы. И так же, как не бывает дома без фундамента, не бывает английского предложения без глагола (в русском языке это не так).

Возвращаемся к нашей исходной фразе. Если вы не справились с ее переводом, это значит, вы не увидели в ней глагола и не придали этому значения. Слово **milk** в ней имеет артикль и, следовательно, является существительным. Кстати, а могло бы оно быть глаголом? С легкостью:

Milk the cow. - Подоите корову.

Здесь вас ждала еще одна трудность. Слово **first**, кроме первичного значения "первый", имеет еще один перевод - "сначала". Вот пословица, которая наглядно это показывает:

First things first. - Сначала о главном.

Итак мы подошли к ответу:

First bottle the milk. - Сначала разлейте молоко по бутылкам. (Вспомните неуклюжее русское слово "бутылировать"). И чтобы убедиться, что вы усвоили один из основополагающих принципов английской грамматики, еще один пример:

Time your visit well. - Хорошо выберите момент для вашего визита.

И, в заключение, переведите сами грозный плакат, который я увидел недавно на улице маленького городка:

Police your dog!

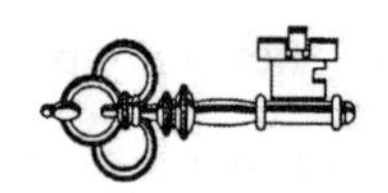

Глава 2

О СУФФИКСАХ

Однажды мне довелось присутствовать на уроке в экспериментальной московской школе. Учительница начала со второклассниками разговор о том, как устроен родной язык, следующим образом:

- Как мы называем человека, который ткет? - Ткач.

- А человека, который врет? - Врач, - веселились дети.

В этом примере видны два аспекта такого лингвистического явления как суффиксы. С одной стороны, удобство построения однотипных слов. С другой, некая каверзность - в каждом конкретном случае есть несколько вариантов, и язык производит выбор неведомым нам способом. При изучении нового языка польза от работы с суффиксами неоценима; они являются как бы рельсами, по которым идет процесс словообразования, надо только видеть, где перестает действовать их логика. А для того, чтобы эту логику выявить, мы введем несложную форму записи, которая заметно облегчит нашу работу.

Дело в том, что существует фундаментальный факт, характеризующий английские суффиксы: каждый суффикс всегда действует на определенную часть речи, а в результате получается другая, но всегда одна и та же часть речи. К этому важно добавить определение суффикса, т.е. описать его смысловую нагрузку.

Начнем с суффикса **-er (read - reader),** пожалуй, самого распространенного. Он всегда присоединяется к глаголу и образует существительное, мы запишем это так:

(verb) + -er = (noun)

Результирующее слово обозначает лицо или предмет, исполнитель действия (о котором сообщает глагол) ; то, что (или тот, кто) делает:

write - writer - писатель; **run - runner** - бегун

Пока все крайне просто, обратите лишь внимание на стандартные изменения в правописании. Однако, далеко не всегда русский перевод находится так легко:

eater - тот, кто ест (едок)

drinker - тот, кто пьет (это слово слабее, чем "пьяница")

sleeper - тот, кто спит (соня).

He is a heavy drinker and smoker. -

Он крепко выпивает и много курит.

Когда вы подыскиваете перевод, руководствуйтесь только логикой английского суффикса; русские слова, казалось бы, близкие, могут привести вас к ошибке. Посмотрите на примеры:

player - тот, кто или то, что играет; **tennis player** - человек, играющий в теннис; **record-player** - проигрыватель (пластинок), а **CD-player** - проигрыватель компакт-дисков.

Слово "игрок" близко по смыслу, но все же отличается. "Игрок как азартный человек" переводится **gambler**.

lover - тот, кто любит (слово "любовник" имеет неуважительный оттенок и поэтому для перевода не годится, кроме того, английское слово намного шире):

jazz lover - поклонник джаза;

a lover of animals - любитель животных;

a lover of good food - гурман;

worker - тот, кто работает, работник;

co-worker - сослуживец

social worker - социальный работник.

He is a good worker. - Он - хороший работник.

He is a hard worker. - Он - трудяга.

Теперь несколько примеров составных слов:

baby-sitter - тот, кто сидит с детьми

movie-goer - тот, кто часто ходит в кино

sleepwalker - тот, кто ходит во сне

newcomer - вновь прибывший, новенький. Однако:

words that are newcomers in the language -
слова, которые только вошли в язык.

Здесь я хочу еще раз подчеркнуть: суффикс лишь намечает (причем с безукоризненной логикой) значение вновь образованного слова; часто определение получается весьма широким и под него подпадают разные предметы, явления или человеческие характеристики, и тогда выбор происходит случайно.

speaker - тот, кто (или то, что) говорит:

1) оратор: тот, кто выступает;

He is a good speaker. - Он - хороший оратор.

She was the first speaker at the meeting. -

Она первой взяла слово на собрании.

Отсюда, естественно, и пост спикера в парламенте.

2) динамик, а также **loudspeaker** - громкоговоритель.

teller - 1) рассказчик; **story-teller** переводится и как сказочник и как выдумщик;

2) кассир в банке (в древности у глагола **tell** было значение "считать").

opener - то, что открывает

bottle opener - открывалка для бутылок

can opener - консервный нож (здесь перед нами второе значение **can** -консервная, жестяная банка (сравните "канистра");

eye-opener - это мог быть инструмент глазного хирурга, но означает совсем другое: потрясающая новость; разоблачение.

That was an eye-opener for her. - Это сразу открыло ей глаза.

breaker - тот, кто (или то, что) ломает

housebreaker - взломщик

ice-breaker - 1) ледокол (судно) ; 2) замечание, реплика, снимающие напряжение в разговоре (в Америке даже серьезные выступления часто начинают с небольшой шутки).

maker - тот, кто делает, создает (что-то):

policy-maker - человек, определяющий политику;

film maker - "киношник"; тот, кто снимает фильмы

law-maker - законодатель;

trouble-maker - тот, кто причиняет неприятности

Глагол **curl** означает закручивать, завивать. Слово **curler** могло бы иметь много разных значений, но закрепилось одно, весьма конкретное - бигуди. Но вот как-то в рекламе факс-машины мелькнуло новое слово **anticurler** - ясно, что это устройство, не позволяющее листу бумаги закручиваться в трубочку.

Глагол **hang** - вешать (как предметы, так и людей). **Hanger** - тот, кто вешает или то, что подвешивает. Первое предположение всегда очень серьезно, однако для слова "палач" язык избрал другой суффикс - **hangman,** а наше слово означает "вешалка для платья".

Вот так, от серьезного до смешного один шаг, и суффиксы бесстрастно описывают и то и другое.

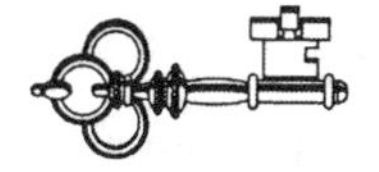

Глава 3

О ФОРМАХ ГЛАГОЛА

Подобно герою Мольера, с удивлением узнавшему, что он всю жизнь говорил прозой, мы порой пользуемся грамматическими категориями, не задумываясь о них.

Я хочу сейчас привлечь ваше внимание к одной из таких категорий - так называемым формам глагола. Эти формы, как строительные блоки, в разных комбинациях создают все глагольные конструкции. Каждый английский глагол имеет пять форм (но с несколькими самыми важными глаголами надо будет разбираться индивидуально), например: **infinitive (to see)** ; I форма **(see)** ; II форма **(saw)** ; III форма **(seen)** ; **-ing** - форма **(seeing).** В словарях приводится 1 форма, именно она образует простое настоящее время, с которого и начинается ознакомление с английским языком:

I see you. He sees us.

На основе I формы образуются и все остальные формы глагола. Инфинитив получается добавлением частицы **to** перед ней (в русском языке -ть на конце слова). Эта частица только обозначает инфинитив, она не переводится и не имеет ничего общего с предлогом **to**.

II и III формы образуются двояким образом: большая часть глаголов действует в соответствии с простым правилом (они называются поэтому правильными): II ф. = III ф. = I ф. + **-ed**; неправильные глаголы этому правилу не подчиняются, II и III формы у них часто совпадают и образуются без видимой системы. Мы посвятим отдельную главу тому, как облегчить их запоминание.

Из I формы получается и **-ing** форма (**see - seeing, love - loving, sit - sitting**); об изменениях в правописании и ее функциях мы будем говорить в следующей главе.

II форма имеет только одно применение - она образует простое прошедшее время: **I saw you. He saw us.**

У III формы три разные функции; они чрезвычайно важны и мы посвятим им отдельную главу.

А вот функции английского инфинитива так просто описать не удастся - их много. Во многих случаях английский инфинитив употребляется так же, как русский - и тогда сложностей не возникает. О серьезных отличиях мы поговорим отдельно во II томе, но один случай сразу бросается в глаза, когда фраза начинается с инфинитива:

To learn English you must work. Как видите, перевод " не получается". В таком случае перед 'русским инфинитивом надо добавлять слова "для того, чтобы" или просто "чтобы".

- Чтобы выучить английский, надо работать.-

В английском языке тоже есть соответствующий оборот -

in order to - для того, чтобы.

In order to learn English you must work.

Но так получается очень официально. Этот оборот подходит, скажем, для научной статьи, а в обычной речи пользуются просто инфинитивом:

He is coming to see you. -

Он приходит (приезжает), чтобы повидать тебя.

To start press the button. - Чтобы начать, нажмите кнопку.

Формы сильных глаголов образуются нестандартно, и тон задает, конечно, глагол **to be.** Это единственный глагол английского языка, сохранивший спряжение (хотя и неполное) в настоящем простом времени:

I am; he (she, it) is;

we (you, they) are;

II форма у него тоже выглядит по-разному для единственного (**was**) и множественного (**were**) числа. Далее, **to be** единственный английский глагол, у которого инфинитив выражен самостоятельным словом. Сравните переход от I формы к инфинитиву:

play - to play; love - to love и т.д.

am (is, are) - to be.

Запомнить это проще простого благодаря знаменитой цитате:

To be or not to be?

У других сильных глаголов форм, напротив, меньше обычного. Эти глаголы (**can, must, may, shall, will**) часто выделяют в отдельную группу и называют модальными (от латинского слова **modus** - образ, способ; если хотите, они скроены по особому способу). Первая их особенность - отсутствие инфинитива. Это чрезвычайно важно, ошибка будет очень грубой. Если у вас возникает вопрос. почему так, ответ найти не сложно: инфинитив называет действие или состояние, а модальные глаголы не обозначают ни того, ни другого. Если же вы спросите, а что же они обозначают, то одной фразой уже не ответишь. Мне эта тема кажется очень интересной, и мы отдельно поговорим о модальных глаголах и их заменах, типа **must - to have to.**

Далее возникает вопрос: почему это у модальных глаголов появились особые замены? Ну конечно, потому и появились, что у них отсутствуют обычные глагольные формы и ими трудно оперировать. Кстати, эти глаголы в английских учебниках иногда называют иначе - **defective verbs** - т.е. неполные, недостаточные. Итак, все они лишены инфинитива и **-ing** формы. У глагола **must** вообще нет ни одной формы, кроме I. У остальных имеется только I и II формы (**can - could, may - might, shall - should, will - would**).

Глагол, стоящий после модального глагола, также теряет частицу **to**:

I like to read. - I can read. Объяснение этого факта, честно скажу, мне неведомо. Могу высказать лишь предположение. Модальные глаголы всегда управляют другими глаголами, произносятся с ними на одном дыхании. и разделяющая частица **to**, и видимо, была отброшена.

Последнее отличие (на этом месте надо бать внимательным начинающим) - отсутствие частицы **-s** в третьем лице:

I can swim. - He can swim.

Оказывается, в английском языке особая роль модальных глаголов проявляется значительно четче, чем в русском, и каждое предложение (в отличие от русского) может содержать не более одного такого глагола. Попробуйте сами перевести такие фразы:

1) Вы должны уметь писать.

2) Вам, возможно, придется подождать.

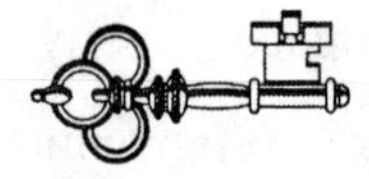

Глава 4

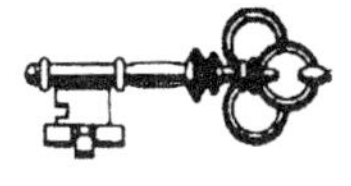

ТАКАЯ СТРАННАЯ -ING -ФОРМА

Ключом к пониманию грамматики служит деление слов на части речи. Три основных из них, казалось бы, четко поделили между собой "сферы влияния".

Существительное - это предмет, человек или явление (отвечает на вопрос: кто? что?).

Прилагательное определяет существительное (какой?).

Глагол обозначает действие или состояние (что делает?).

Однако реальный язык сложнее такой простой схемы - если мы приглядимся, то увидим, что английский глагол может выполнять функции и существительного, и прилагательного, причем делает это очень часто. Более того, если в русском языке подобные эквиваленты образуются двумя разными способами, то в английском они имеют идентичную форму, что, конечно же, не облегчает понимание.

Речь идет о непривычной для нас **-ing** -форме английского глагола, когда частичка **-ing** присоединяется к его основе: **read - reading; love - loving; sit - sitting** (при этом немое "**e**" на конце глагола опускается, а концевая согласная иногда удваивается, чтобы не изменилось произношение предшествующей гласной). У **-ing**-формы в английском языке три очень важные функции: построение причастия, герундия и времен группы **Continuous**. О временах этой группы мы скоро поговорим отдельно, а с первыми двумя понятиями сейчас разберемся.

Причастие является определением, образованным от глагола: пишущий - **writing**; работающий - **working**; сидящий - **sitting**.

The boy reading the book is my friend. -

Мальчик, читающий книгу, - мой друг.

The girl opening the door wants to see you. -

Девушка, открывающая дверь, хочет вас видеть.

В отличие от русского причастного оборота английский не отделяется запятыми. Вдобавок к этому, английское причастие исполняет еще и ту роль, которую играет русское деепричастие:

Reading the book, I can see you. - Читая книгу, я могу видеть вас.

Living in this country, he knows little about it. -

Живя в этой стране, он мало о ней знает.

В первом случае причастие определяет одно существительное, во втором - оно дополняет предложение в целом (и отделяется от него запятой). Надеюсь, что **-ing-**форма глагола **to be** не собьет вас с толку, она бывает вполне обычным деепричастием:

Being his friend, I cannot do that. -

Являясь его другом, я не смогу этого сделать.

Вам следует обращать внимание на причастия, когда вы встречаете их в текстах, в разговоре - без них речь суха, безжизненна. Итак, наш первый совет - приглядеться, привыкнуть к причастиям.

Теперь давайте рассмотрим герундий - эта тема потруднее для нас, но она исключительно важна. Герундий, по сути, это глагол, сделавший шаг в сторону существительного, но остановившийся на полпути. Сравните:

I like to swim. - I like swimming. - Swimming is my favorite sport. -

В первой фразе **swim** это явный глагол; в последней - его трудно отличить от существительного. Проблема в том, что в этом случае русская аналогия помогает мало. Русские слова (плавание, чтение), называются отглагольными существительными; они ушли от глагола еще дальше, но таких слов в русском языке не так уж много. Для большинства русских глаголов такая форма (делание, играние) была бы понятной, но неестественной. Так что лучше признать, что в русском языке герундия нет и разбираться с ним заново.

В английском языке герундий есть практически у каждого глагола (кроме модальных), и употребляется он очень широко. Переводить герундий на русский язык надо глаголом; потом фразу можно отшлифовать:

Seeing is believing. - Увидеть - значит поверить. (Посл.)

Reading is useful. - Читать полезно.

No smoking. - Нельзя курить (никакого курения).

No parking. - Нельзя парковать машину.

Давайте еще раз вглядимся в две фразы, которые означают одно и то же:

Children <u>like to play</u>. - Children <u>like playing</u>.

Глагол **like** только начинает фразу, а дальше, на центральном месте, может стоять или инфинитив или герундий, т.е. они как бы конкурируют между собой, борются за место в предложении. Силы их в этом отношении примерно равны, а "делят добычу" они очень интересным образом. Оказывается, что в английском языке глаголы, которые "ведут за собой" второй глагол, делятся на три группы:

1-я группа - допускает после себя только инфинитив;

2-я группа - допускает после себя только герундий;

3-я группа - допускает после себя и то и другое.

Таких слов глаголов ("выбираюших глагол после себя") не так уж много; мы приведем самые заметные:

1-я гр. - **want, need, try, hope, decide;**

I want to sleep. We hope to see you.

2-я гр. - **stop, finish, keep, mind, enjoy;**

Stop talking. - Перестаньте разговаривать.

Keep writing. - Продолжайте писать.

You should stop smoking. - Вам следует бросить курить.

She enjoys dancing. - Она обожает танцевать.

3-я гр. - **like, love, start, begin, continue;**

They started to dance. = They started dancing.

Как видите, глаголы, которые допускают после себя инфинитив, встречаются почаще; но у герундия есть неожиданный козырь - если после первого глагола следует предлог, то за ним может стоять только герундий:

Thank you for calling. - Спасибо, что позвонили.

Thank you for coming. - Спасибо, что пришли.

I'm fond of jogging. - Я увлекаюсь бегом трусцой.

Поверьте - это очень важный момент; поначалу даже пассивно

приглядеться и научиться замечать разные формы глагола - уже достижение.

I apologize for being late. - Извините, что опоздал.

We worked without talking. - Мы работали, не разговаривая.

He went out without saying anything. - Он вышел, ничего не сказав.

She went home instead of coming here. -
Она пошла домой, вместо того, чтобы прийти сюда.

It goes without saying. - Само собой разумеется.

Вот еще несколько пословиц с герундием, попробуйте перевести их сами:

Doing is better than saying.

A good beginning makes a good ending.

A clean hand wants no washing.

Итак, одна серьезная и непривычная для нас проблема - "борьба инфинитива и герундия за место в середине предложения". Это еще не все - герундий "отбивает хлеб" и у своего брата-причастия, когда можно занять место перед существительным. Однако здесь борьбы не происходит; они как бы разделили сферы влияния. Сравните:

-ing-форма - причастие; здесь оба слова ударны.

a 'reading 'boy - читающий мальчик

a 'writing 'girl - пишущая девочка

a 'drinking 'dog - пьющая собака

-ing- форма - герундий; здесь одно общее ударение.

a 'reading lamp - лампа для чтения

a 'writing table - письменный стол

'drinking water - вода для питья

Причастие ближе к глаголу и описывает действие, а герундий - к существительному, и описывает назначение объекта; примеров здесь множество - самые обиходные слова:

a 'dining room - столовая (комната для обеда)

a 'swimming pool - плавательный бассейн

a 'sewing machine - швейная машина

'working clothes - одежда для работы

'writing paper - писчая бумага

a 'bathing suit - купальный костюм

'running shoes - туфли для бега

a `calling card - карточка для телефонных звонков.

В заключение я хочу добавить, что **-ing** форма крайне часто встречается в книжных и газетных заголовках. Вот несколько примеров из одного только номера *The New York Times*:

Doing Business in Russia. - Как вести дела в России.

Selling Greeting Cards on the Internet. -

Продажа поздравительных открыток на Интернете.

Здесь вы найдете примеры описанных выше грамматических проблем. А вот типичный заголовок книги:

Getting a Job and Keeping It. - Как найти работу и сохранить ее.

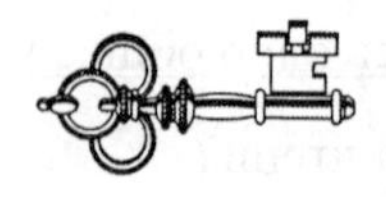

Глава 5

ОБ АНГЛИЙСКИХ СУЩЕСТВИТЕЛЬНЫХ

Начнем на этот раз с "детского" вопроса: какая грамматика сложнее - русская или английская? Не для нас с вами (что уж тут спрашивать, только душу бередить), а вообще, объективно. И чтобы ответить, попробуем бросить общий взгляд на грамматику существительного.

Русское существительное может изменяться по числам и падежам, а также принадлежать к определенному роду - других категорий нет. Как же выглядят аналогичные понятия английского языка? Род, как таковой, отсутствует. Все существительные относятся к одному нейтральному роду. Этот простой факт сбережет вам массу сил. Некоторые слова, казалось бы, по своему смыслу связаны с родом (мужчина, женщина и др.), однако, этот не так: пол - категория не грамматическая, на английских существительных он не отражается.

Число (единственное и множественное) употребляется аналогично русскому, но в техническом плане английский подход - проще. В отличие от множества вариантов русского языка (пол - полы, кол - колья), в английском языке - только одно правило для образования множественного числа: **boy - boys; class -classes.** Образование множественного числа изрядно запутали многочисленные исключения; на этом я хочу остановиться, т.к. подобные проблемы возникнут и в других темах.

Итак, вопрос первый: как относиться к исключениям в целом; падают ли они на более важные (распространенные) слова или наоборот? Иными словами, стоит ли уделять им много внимания? Ответ: в исключения, как правило, попадают именно самые важные слова, но вот какие именно из важных слов - это всегда вопрос случая.

Вопрос второй: сколько этих исключений? В рассматриваемом правиле подлинных исключений всего чуть больше десятка; вот первая пятерка: **man, woman, child, foot, tooth** (ср. русские: человек - люди; ребенок - дети), а остальные - по какой-то прихоти - названия животных: **goose, mouse, sheep, deer** и др. Остальные отклонения от основного правила подчиняются другим, более узким правилам (так что это не совсем исключения), например: если существительное заканчивается на **-f** или **-fe**, то во множественном числе окончание изменяется на **-ves: wolf - wolves; life - lives.** Таких подправил пять (их вы найдете в учебниках) и, если быть внимательным, множественное число не должно вызывать серьезных трудностей.

Что касается падежей, то и здесь английская система намного проще русской. В английском языке форма существительного одинакова для всех падежей.

The book is here. - Give me the book. - This is the end of the book.

Далее - неожиданная деталь. Не пользуясь привычными для нас падежными окончаниями, англичане употребляют один добавочный - притяжательный падеж, который показывает, кому принадлежит объект. В русском эта форма в принципе есть: **mother's room** - мамина комната; **Peter's pen** - Петина ручка, но встречается она значительно реже.

Образуется притяжательный падеж добавлением к существительному апострофа и буквы **-s**. Если слово заканчивается на **-s** или шипящий звук (сюда попадают и формы множественного числа), то добавляется только апостроф.

the boys' books - книги мальчиков; **Thomas' car** - машина Томаса

Притяжательный падеж и оборот с предлогом **of** близки друг другу, но все же не полностью эквивалентны: когда речь идет о предметах, чаще используется **of**:

the side of the house; the end of the street;

для людей и животных больше подходит притяжательный падеж:

my teacher's house; cow's tail.

Однако, если фраза длинная, опять вступает предлог **of**:

the house of one of our teachers.

Далее сложности растут. Дело в том, что в английском есть еще одна очень важная грамматическая возможность (мы об этом говорили в первой главе) - существительное в роли определения (здесь объект не принадлежит одному лицу, а относится к целому классу людей или предметов):

car wash; baby bottle; pen knife

Посмотрите, как интересно: **my dog's food** - это еда конкретной собаки, но **dog food** - еда для собак вообще; так же:

the baby's bottle - baby bottle.

A car engine usually lasts for about 100,000 miles. - Автомобильный двигатель обычно выдерживает около 100 тысяч миль.

That car's engine is making a strange noise. -

Двигатель этой машины издает странный звук.

Я еще раз хочу предостеречь - здесь идет “трудная полоса”; четких правил нет. Иногда различия становятся настолько тонкими, что разобраться уже трудно. Так, коровье молоко - **cow's milk,** а козий сыр - **goat cheese.** Когда вы учитесь водить машину, вам выдают **learner's permit**, а после экзамена - **driver license**.

Мне кажется, что дальше углубляться в детали не стоит. Возьмите на заметку, что есть три близких оборота, старайтесь обращать внимание на их употребление.

London's museums = the museums of London

the company's future = the future of the company

Shakespeare's plays = the plays of Shakespeare

the city streets = the streets of the city.

Обратите внимание, как исчезает и появляется артикль.

И еще практический совет - есть два аспекта употребления притяжательного падежа, которые абсолютно непривычны для нас - на них надо обратить отдельное внимание.

a) в выражениях времени:

yesterday's paper; today's news; tomorrow's weather;

a year's salary; two year's work; five hour's delay.

ten minutes' break = a ten-minute break.

b) в названиях магазинов, кафе и т.д. (выражаясь родным казенным языком - предприятий сферы обслуживания):

McDonald's; Macy's; Marshall's; Frank's Pizza

Любой учебник английской грамматики сообщит вам также, что существительные бывают собственные, нарицательные и т.д. Для нас же важно то, что эти категории практически одинаковы в русском и английском языках; поэтому как и в родном языке, можно о них не задумываться. Однако, одно понятие будет для нас важным, это деление существительных на исчисляемые и неисчисляемые.

Исчисляемые (или счетные) существительные обозначают объекты, которые можно посчитать, поэтому они могут иметь множественное число: **books, boys, cats, ideas**.

Неисчисляемые (или существительные массы) обозначают объекты, которые можно измерить: **water, bread**. Эти существительные не могут стоять во множественном числе, а если принимают такую форму, то при этом изменяют значение (сравните в русском - хлеба, воды). Так что деление существительных на счетные и существительные массы выражено в двух языках в общем одинаково, однако, даже небольшие отличия вызывают много хлопот.

Первое: в английском языке такие важнейшие понятия как "много" и "мало" имеют по две формы - для исчисляемых и неисчисляемых существительных:

many books - much water; few friends - little time.

Второе: эти две группы существительных совершенно по-разному сочетаются с артиклями (скоро мы будем об этом говорить). Наконец, я хочу еще раз напомнить, что существительные массы могут относиться только к единственному числу; иногда это не соответствует русскому переводу: (**money, news**).

Time is money. - Время - деньги. (Посл.)

No news is good news. - Отсутствие новостей - хорошая новость.

На этой оптимистической ноте и подведем итог: в плане грамматики английское существительное много проще русского, хотя и не без некоторых выкрутас. По поводу других частей речи обольщаться не будем. И напоследок немного того, что американцы называют **food for thought** (пища для ума; то, что заставляет задуматься): как совместить два противоречащих утверждения:

1) в исключения имеют тенденцию попадать самые важные слова;

2) все исключения заучивать вовсе не обязательно.

Язык иногда задает настоящие загадки. Ответ прозвучит, когда мы будем говорить о неправильных глаголах.

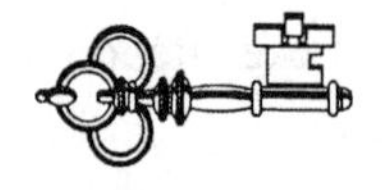

Глава 6

ОБ АРТИКЛЯХ

В русском языке этой части речи нет, и невольно возникает вопрос: зачем она понадобилась англичанам? Мы ведь прекрасно без нее обходимся. Попробуем разобраться. Сравним две русские фразы: **Мне нравится книга. - Книга мне нравится.**

Перенося слово "книга" вперед, поставив на нем ударение, мы передали некую дополнительную информацию (речь теперь явно идет о какой-то определенной книге, что-то о ней известно). Получается, что в языке должны быть средства для передачи оттенков, нюансов, которые в тексте не всегда отражены. При личном общении этих возможностей больше (например, за счет интонаций), поэтому устная речь проще и короче письменной. У разных языков возможности эти самые разные. С точки зрения порядка слов, различных интонаций, русский язык - гибкий. В английском же языке порядок слов жестко задан. Поэтому появились два вездесущих словечка - артикли. Артикль - один из определителей существительного.

Основную нагрузку в предложении несут, конечно, существительные и глаголы. У английского глагола, как вы скоро увидите, предостаточно средств для выражения оттенков. Артикли же - помощники с существительного, его верные слуги. Артикль стоит перед существительным, причем он самый первый среди возможных определителей существительного.

a book - a new interesting English book.

А теперь - конкретные сведения.

Неопределенный артикль **a** произошел от слова **one** - один, и частично сохранил его значение.

a book - какая-то одна, произвольная книга, впервые упомянутая.

Определенный артикль **the** произошел от слова **that** - тот, и также сохранил связь с этим значением.

the book - определенная, данная книга, о которой что-то известно (как будто вы указали на нее пальцем).

Поскольку существительное имеет единственное и множественное число, это сказывается и на артикле.

Для единственного числа: **a, the**

Для множественного числа: **the**

Как видите, неопределенный артикль по самой своей сути не может стоять перед существительным во множественном числе:

I see a boy. - I see boys.

I know the girl. - I know the girls.

Иногда говорят, что артиклей в английском языке три, добавляя сюда "нулевой" артикль. Имеется в виду вот что: некоторые существительные английского языка выступают всегда без артикля: термин "нулевой артикль" подчеркивает, что любой артикль в этом случае будет ошибкой. К ним относятся названия месяцев, дней недели, имена собственные и некоторые другие группы существительных. В том, что касается артикля, каждое правило влечет за собой цепочку оговорок. Возьмем один из простейших случаев - имена собственные. Оказывается, в некоторых случаях все же нужен определенный артикль:

1) когда имя сопровождается постоянным определением:

Alexander the Great,

Elizabeth the Second;

2) когда вся семья называется по фамилии:

The Joneses live in California. - Джонсы живут в Калифорнии.

Можно выписать массу правил относительно того, какой именно артикль следует употреблять в том или ином случае, столько же будет исключений и оговорок, но от всех сомнений все равно не избавиться. Чтобы не ошибиться, нужен очень большой опыт.

Мы не будем сейчас бросаться на эту крепость, а лишь суммируем основные характеристики артиклей, которые все-таки помогут в не слишком сложных ситуациях.

A (AN) - неопределенный; ставит в ряд с ему подобными; какой-то один, некоторый, любой; впервые упомянутый; один из группы подобных.

THE - определенный; индивидуализирует; конкретный, известный, вот этот; не в первый раз упомянутый; единственный в своем роде.

Хотелось бы, чтобы были четкие правила, где какой ставить артикль, но их просто нет. Однако, если подойти к делу с другой стороны, выясняется, что можно найти формулировки-запреты:

1. Нельзя употреблять исчисляемое существительное в единственном числе без артикля; можно **a cat, the cat.**

2. Нельзя употреблять существительное массы с неопределенным артиклем; можно **water, the water.**

3. Не надо ставить никакой артикль перед отвлеченными понятиями: **Life is good.** - Жизнь хороша.

Вы видите, оказывается, для артиклей деление существительных на счетные (исчисляемые) и несчетные имеет первостепенное значение. Но учтите, что есть существительные, которые относятся и к тому, и к другому классу, обозначая как конкретный предмет, так и "общую массу".

Сравните: **I eat an egg for breakfast.** (Точно так же **a carrot, an onion** означает одну морковку, луковицу).

You have egg on your shirt.

There is no onion in this salad. (Здесь это вид пищи - существительное массы).

I see a hair in the soup (один волосок) ;

His hair is black (вся масса волос, тем не менее это слово относится к единственному числу).

Would you like a beer? (одну порцию).

Beer is fattening. - Пиво ведет к полноте.

Ряд слов (**school, college, class, bad, church** и т.д.) могут обозначать как конкретный объект, так и отвлеченное понятие.

The bed in my room is comfortable.

I go to bed at eleven o'clock.

She goes to church every Sunday.

Where is the church?

Так что целый ряд выражений (**go to school, go to college, go to**

work) вполне "законно" обходится без артикля. Мы хотим еще раз подчеркнуть, что артикль ставится перед существительным для того, чтобы уточнить его значение. Если эту функцию выполняют другие слова - определители существительного - то артикль становится ненужным. Вот три самые простые и распространенные группы слов, которые исключают артикль:

- указательные местоимения - **this, that;**
- притяжательные местоимения - **my, his** и т.д.
- числительные - 1, 2, 3 и т.д.

I see a dog. - I see his dog. - I see this dog. - I see two dogs.

И, наконец, два практических совета - как избежать типичных ошибок. Если вы называете профессию человека, употребляйте неопределенный артикль (один из группы):

He is a doctor.

Слова: настоящее, прошлое, будущее всегда требуют определенного артикля (как и прошлое, будущее у нас одно).

In the future don't do this. - В будущем не делайте этого.

Forget about the past. Don't worry about the future.

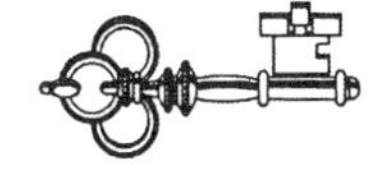

Глава 7

ОБ ОПРЕДЕЛИТЕЛЯХ СУЩЕСТВИТЕЛЬНОГО

Подобно королю, окруженному свитой, английское существительное редко появляется в одиночестве. Понятное дело, главными персонажами в его окружении являются прилагательные (или другие части речи, выполняющие их функцию, о чем мы уже говорили в наших занятиях). Однако, существует еще одна группа слов (их называют определителями существительного), которые несут важную дополнительную информацию о нем.

Сравните: **an old car; this old car; my old car.**

Когда мы говорили об артиклях, мы упоминали, что подобные определители исключают друг друга, т.е. перед каждым существительным может стоять только одно такое слово.

На этот раз мы рассмотрим слова **some, any, no,** которые также являются определителями существительного. Они чрезвычайно распространены в английской речи, а в русском языке (в этом, как всегда, и коренятся трудности) у них нет прямых аналогов. Поэтому не будем торопиться с их переводом, а постараемся сначала понять, как они "работают".

Пример 1. **I have some friends. Do you have any friends?**

I have no friends (или **I don't have any friends).**

Пример 2. **There is some milk in the cup. Is there any milk in the**

cup? There is no milk in the cup.?

Слова **some** и **any** как бы две стороны одной медали - **some** для утвердительных фраз, **any** для вопросов и отрицаний. Эти слова указывают на долю, относительное количество объекта, о котором идет речь. Сравните:

All my friends are artists. - Все мои друзья - художники.

Some of my friends are artists. -

Некоторые из моих друзей - художники.

В данном случае для перевода подходят русские слова “некоторые” или “несколько”, однако они годятся только для исчис-ляемых существительных, но не для таких, как “воздух” или “молоко”. (Теперь уже русский язык стал различать исчисляемые и неисчисляемые существительные, неожиданно, не так ли?) Заметьте, слова **some, any** говорят не о том, много или мало, а о том, все или не все, целое или только часть. Возьмем для их перевода оборот "некоторое количество" - звучит неуклюже, но зато точно.

Итак, для исчисляемых существительных:

Пример 1. У меня есть несколько (некоторое количество) друзей; или (У меня есть друзья). У вас есть друзья? У меня нет друзей.

Для неисчисляемых существительных:

Пример 2:В чашке есть немного (некоторое количество) молока;или (В чашке есть молоко). В чашке есть молоко? В чашке нет молока.

Как видите, в русском языке эти слова перед существительным можно заменять или вообще не ставить, в то время как в английском они четко заданы:

Do you have any questions? - Yes, I have some questions. -

У вас есть (какие-нибудь) вопросы? - Да, у меня есть (некоторые) вопросы.

Do you have any salt? -У вас есть соль?

Give me some water! - Дай мне воды!

I want to buy some apples. - Я хочу купить яблоки.

Эти определители исчезнут, если мы укажем точную меру взамен приблизительной:

Give me a glass of water. I want to buy five apples.

У изучаемых слов есть еще одна, совершенно удивительная особенность. В вышеприведенных (и в других подобных им) примерах слова **some, any** произносятся безударно, смазанно; ударение падает только на существительное. Возможен и другой вариант, когда они произносятся четко, с ударением, не "прилипая" к существительному. В этом случае они могут стоять только перед исчисляемыми существительными (чаще всего, в единственном числе) и значение их заметно меняется:

some - какой-то;

any - любой, какой угодно (теперь уже в утвердительных предложениях) ;

no - никакой, ни один.

I saw this picture yesterday in some magazine. -

Я видел этот снимок вчера в каком-то журнале.

Some boy stands at your door. -

Какой-то мальчик стоит у вашей двери.

Any child can tell you about it. -

Любой ребенок может рассказать вам об этом.

Come any day next week. -

Приходите в любой день на следующей неделе.

No man can do this. - Ни один человек не может сделать этого.

There are no stores for miles around. -

На (целые) мили вокруг нет никаких магазинов.

Я хочу еще привести пример, где **some** относится к целой группе людей:

Some like to dance, others do not. -

Одни любят танцевать, а другие - нет.

Вот название знаменитого фильма Билли Уайлдера:

Some like it hot! - Некоторые любят погорячее! (В советском прокате прямой перевод сочли неподходящим и фильм был назван "В джазе только девушки".

И, наконец, еще одно, сугубо разговорное, значение слова **some** - оно здесь выпадает из названного ряда и играет роль восклицания:

Some tree! - Вот это дерево! **Some rain!** - Ну и дождь!

Необходимо упомянуть еще одну группу определителей существительного - **much, many, little, few;** точнее, две пары:

many, **few** соответствуют исчисляемым, а

much, little - неисчисляемым существительным;

many boys, few girls; much time, little money.

При этом отметим, что все эти слова (как и русские "много, мало") - наречия; а то, что "**little** - маленький" может быть еще и прилагательным - просто "накладка"; без них ни один язык не обходится.

У слов **little, few** своя особенность - неопределенный артикль изменяет их значение. Без артикля они показывают малое, почти нулевое количество:

She has little money. He has few friends. (т.е. практически без денег, без друзей).

В противовес этому **a little, a few** обозначают количество хотя и относительно небольшое, но вполне достаточное для данных обстоятельств. Сравните в русском варианте:

У меня мало времени. - У меня есть немного времени.

I have a little time now. He has a few friends in this town. (т.е. небольшое, но вполне достаточное количество времени (друзей).

Отметим напоследок,что слово **a bit** дублирует **a little** в живой речи:

He is a bit young for that. - Он немного молод для этого.

У слов **much, many** есть несколько эквивалентов, из них самый удобный **a lot of (lots of),** так как он употребляется с любыми существительными:

a lot of books; a lot of time.

A lot of people come here every day.

Lots of people go to Florida on vacation.

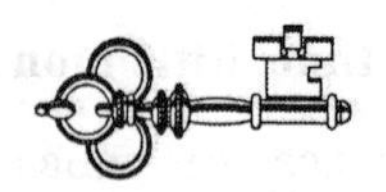

Глава 8

О ПОСТРОЕНИИ ВОПРОСОВ И ОТРИЦАНИЙ

Основная проблема английской грамматики (если смотреть на нее с точки зрения русскоязычного человека) не в том, что она сложна, а в том, что она чужая для нас, построена на других принципах. Вдобавок к этому, грамматику принято излагать как свод сухих правил, которые даже компьютер могут повергнуть в уныние.

Однако, давайте взглянем на все это дело с неожиданной стороны. Высокие грамматические схемы строятся на обычных словах, так же как грозные начальники получаются из вполне конкретных людей. Так что давайте приглядимся к некоторым словам (вам уже должно быть понятно, что это будут глаголы), чтобы выявить определенную грамматическую логику. Когда говорят о грамматике, в первую очередь подразумевают глагольные времена; идею, введя три необычных принципа.

В английском языке (и в этом полная аналогия с русским) глаголы неравнозначны между собой по употребимости. Так, глагол **to be** (быть, находиться, являться) встречается едва ли не столь же часто, как все остальные глаголы вместе взятые.

Однако в английском языке (и здесь полный контраст с русским) это количественное различие переходит в качественное:

несколько самых важных глаголов действуют по другим правилам, нежели все остальные. Итак, ПРИНЦИП 1: *глаголы английского языка обладают неравными грамматическими возможностями и делятся по этому признаку на две группы - сильные и слабые.* Сильных глаголов всего 10, из них широко употребляются всего шесть **(to be, can, must, may, shall, will).** Все остальные глаголы (их много тысяч) - слабые. В русском языке такого деления нет, с точки зрения грамматики глаголы в нем равноправны. А в английском это различие маскируется еще и тем, что в простых утвердительных фразах все глаголы ведут себя, в общем, одинаково:

He is a boy. I can read. We must go. - (Это сильные глаголы.)

I see you. We read books. They like him. - (Это слабые глаголы.)

Принципиально по-разному они ведут себя в целом ряде ситуаций, о которых лингвисты в Англии и Америке написали целые тома. Есть при этом одно обстоятельство, важное только для нас: это как раз те места, где "спотыкаются" русскоязычные ученики. Поэтому не будем мудрить, назовем их грамматическими сложностями или барьерами и сформулируем ПРИНЦИП 2: *сильные глаголы преодолевают грамматические барьеры самостоятельно, а слабые этого сделать не могут и нуждаются в помощнике, который называется вспомогательным глаголом.*

Первый пример грамматической сложности - построение вопросов. Правило тут такое: надо поменять местами подлежащее и сказуемое (т.е. установить обратный порядок слов). Иначе говоря, глагол должен выйти вперед. Для сильных глаголов здесь нет проблем:

He is happy. - Is he happy?

You can run. - Can you run?

Слабые глаголы не могут перейти в предложении на другое место. Но ведь правило требует, чтобы впереди подлежащего появился глагол. И язык пошел таким путем: появляется вспомогательный глагол, задача которого в том, чтобы встать впереди подлежащего и этим показать, что предложение является вопросом.

You smoke. - Do you smoke?

They sleep. - Do they sleep?

Обычно в роли вспомогательных выступают сильные глаголы, но **to do** почему-то не удостоился этого звания. Поэтому в предложении он может фигурировать дважды - в грамматической и в смысловой роли:

What do you do on Sunday?

На этом месте можно сделать два дополнительных замечания.

1) Сильный глагол остается таковым в любой своей форме (**shall - should, will - would**, а у **to be** таких форм несколько):

Should I read this book? - Мне надо прочитать эту книгу?

Was he in London last week? -

Был ли он в Лондоне на прошлой неделе?

2) Удивительная история произошла с глаголом **to have.** В британском варианте языка он всегда был сильным, поэтому он используется как вспомогательный для времен группы **Perfect**. Однако американцы "разжаловали" его в слабые:

Do you have time? - У вас есть время?

Теперь обратимся к отрицаниям. Если в предложении есть сильный глагол, то для построения отрицания нужна только частица **not** после него.

He is not a doctor. - You must not smoke.

Если же сильного глагола нет, то перед слабым глаголом появляется вспомогательный **to do,** за которым и пристраивается частица **not**.

I do not understand you. - They do not work today.

Нам остался еще один серьезный момент. Вы, наверно, заметили, что слабые глаголы появлялись на этот раз только в 1 и 2 лице - ведь в 3 лице есть еще дополнительная сложность (частица **-s**). Итак, что же делать, если надо преодолеть сразу два барьера? Ответ на этот вопрос и звучит как ПРИНЦИП 3: *если слабый глагол, уже воспользовавшись помощью вспомогательного, нуждается еще в каком-либо изменении своей формы, то все эти дополнительные изменения берет на себя вспомогательный глагол.*

I smoke. - I do not smoke. - He does not smoke.

Where do you live? - Where does she live?

В заключение обратите внимание на одну деталь. В вопросительном предложении располагаться впереди глагола (сильного или вспомогательного) может только вопросительное слово. Если это слово привязано к существительному (например, какой дом? сколько детей?), то разделить их нельзя и оба они становятся впереди.

What songs can you sing?

How many children do you have?

Однако, проскочив вперед, существительное может прихватить с собой и прилагательные. Так что не удивляйтесь, если иногда собственно вопрос оказывается где-то в конце фразы.

How many new interesting English books do you have?

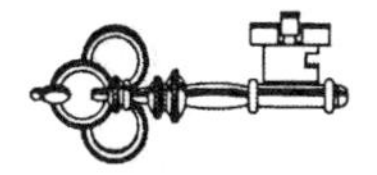

Глава 9

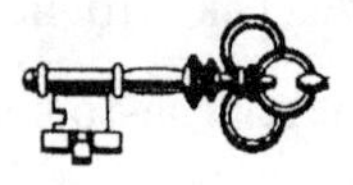

В ПОИСКАХ ПРОДОЛЖЕННОГО ВРЕМЕНИ

Первые шаги в изучении английского языка совершаются в рамках простейшего грамматического времени, потом приходит пора выйти за его пределы. Коль скоро времен будет больше одного, их придется как-то называть; поэтому давайте сначала разберемся с названиями, чтобы термины помогали, а не отпугивали.

Слово **tense** означает "время" только в грамматическом смысле. Слова **past, present, future** вам наверняка знакомы, однако их перевод может зависеть от контекста:

In the past he was an artist. - В прошлом он был художником.

Can you use this verb in the past tense? -

Вы можете употребить этот глагол в прошедшем времени?

Кроме понятного нам деления событий в соответствии с реальным временем, английские глагольные времена разбиваются еще и на "смысловые группы". Всего их четыре, нас же сейчас интересуют две **(Indefinite, Continuous).** Давайте сначала разберем словарные семьи этих названий.

(v) define - определять; (n) definition - определение (дефиниция);

(a) indefinite - неопределенный

В английских учебниках времена группы **Indefinite** иногда

называют простыми (например, **Simple Past**).

(v) continue - продолжать; (n) continuation - продолжение;

(a) continuous - продолженный, длительный.

У названия продолженного времени также есть свой синоним: **progressive tense**. Как раз этот термин может быть более наглядным. **It means that the action is in progress at the moment under consideration.** - Он означает, что действие находится в развитии в рассматриваемый момент.

Попробуем теперь разобраться средствами русского языка, зачем могут понадобиться два настоящих времени. Вывод будет неожиданным: в русском языке их тоже два. Представим, что вы сидите вечером на диване и говорите: 1) По утрам я делаю зарядку. И второй вариант - раздается телефонный звонок: "Что ты делаешь?" Вы отвечаете: 2) Я делаю зарядку.

Одна и та же фраза описывает две разные ситуации. Второй вариант это истинно настоящее время - вы говорите о том, что происходит в данный момент. В первом случае о настоящем моменте не говорится вовсе; речь идет о привычном, повторяющемся действии.

Итак, русский язык одним способом описывает две разные ситуации; для полного понимания такого предложения надо либо знать контекст, либо ставить дополнительные слова (по утрам, сейчас т.д.).

Английский язык пошел другим путем: он создал два различных времени. Первое - **Indefinite Tense** - для описания действия как такового, которое совершается обычно, регулярно.

Второе - **Continuous Tense** - для описания "сиюминутного" действия, которое происходит в отмечаемый момент. Очень важно понимать, что это не одно время, а группа времен. Если данный момент относится к настоящему, вы используете **Present Continuous**, к прошлому - **Past Continuous** и т.д.

Времена группы **Continuous** строятся с помощью вспомогательного глагола **to be**, а смысловой глагол выступает в **-ing**-форме, которая как раз и показывает, что действие продолжается, развивается (ср. русские слова ищущий, играющий). Для того, чтобы подчеркнуть "единую природу" всех времен этой группы и свести к минимуму проблемы запоминания, мы введем необычную форму записи - "общую формулу" времен данной группы:

Continuous = to be + (verb) -ing.

Эта запись должна вам напомнить, что глагол **to be** принимает конкретные формы, согласуясь с хронологическим временем (а в настоящем - меняясь еще и по лицам - **am, is, are**). Смысловой глагол, приняв **-ing**-форму, более уже ни при каких обстоятельствах не меняется (мы об этом говорили в предыдущей главе).

А теперь, приводя примеры, попробуем сопоставить два настоящих времени по-русски и по-английски.

He works as a teacher. - Он работает учителем.

Don't call him, he is working.-

Не зови его, он работает (в данный момент).

He reads a lot. - Он много читает (вообще).

He is reading his play to us. - Он читает нам свою пьесу (сейчас).

Water boils at 212 °Fahrenheit. - Вода кипит при 212 °Ф (всегда).

The kettle is boiling.- Чайник кипит (сейчас).

Обычно при изучении нового времени принято разбирать отдельно построение вопросов и отрицаний, но мы эту проблему уже рассматривали в общем виде: все дополнительные сложности принимает на себя вспомогательный глагол (**to be**), а смысловой глагол на них не реагирует:

She is sleeping now. Is she sleeping? She is not sleeping.

А теперь несколько дополнительных замечания к этой теме. Существует ряд глаголов (их иногда называют статическими), которые "не подходят" для идеи **Continuous** (например, **like, want, hear, see, know, understand, think). Mostly these are verbs of perception and judgment.** (Большей частью это глаголы, выражающие восприятие и суждения). Их немного, но встречаются они часто. Очень интересно, что когда эти глаголы выходят за пределы только что названных "психологических значений", запрет на употребление продолженного времени снимается. Сравните:

You look tired. - She is looking at you.

I see the picture. - The doctor is seeing a patient now (принимает пациента).

We hear the music. - The judge is hearing a case (слушает дело).

I think this is wrong. - Wait a minute, I'm thinking (я размышляю).

Учтите при этом, что даже глаголы, которые никогда не используются в **Continuous**, имеют **-ing**-форму, например, в качестве причастия.

Knowing her, I do not tell her about it. -

Зная ее, я не говорю ей об этом.

Время **Present Indefinite** часто сопровождается оборотами типа: **always, often, usually, sometimes, every day**; для **Present Continuous** подходят - **now, at the moment, at present, etc**. Но вот любопытная деталь - слово **always** в сочетании со временем **Continuous** имеет особое значение - это действие часто повторяется и вызывает некоторое недовольство говорящего:

She is always complaining about something. -

Вечно она на что-нибудь жалуется.

Настоящее продолженное время может кое-что сообщить и о будущем; об этом мы поговорим в соответствующей главе. И, наконец, последний штрих. Теперь вы должны чувствовать разницу между двумя важными оборотами:

What do you do? - What are you doing?

Переведите на английский:

Что вы делаете, когда идет дождь?

Что вы делаете!? (скажем, вы увидели, что кто-то рвет вашу книгу).

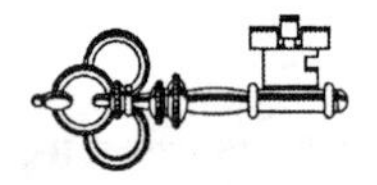

Глава 10

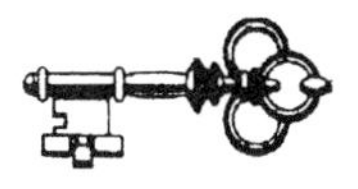

О ТИПИЧНЫХ ОШИБКАХ

Давайте переведем дух и посмотрим, как далеко мы успели продвинуться. Если вы себя чувствуете уверенно в освоении английского - смело пропускайте эту главу. Если же в вашей речи и особенно в построении вопросов по-прежнему много путаницы, надо еще раз вернуться к ключевым понятиям, устроить "расширенный повтор".

Первая наша идея - надо приучиться к тому, что английские слова все время переходят из одной части речи в другую, меняя при этом внутреннюю структуру предложения. Когда переход происходит с помощью суффикса, для нас это в общем привычно, надо лишь четко видеть, как работает суффикс:

sleep - sleeper (v + -er = n);

sleep - sleepless (n + -less = a).

Если же слово переходит из одной части речи в другую (чаще всего это существительное и глагол) не меняя формы, надо быть к этому внимательным:

fire alarm - пожарная тревога; **alarm clock** - будильник;

return address - обратный адрес; **address book** - адресная книга

а вот еще **tax return** -налоговая декларация (досл. возврат)

Вот призыв, который часто встречается в вагонах нью-йоркского метро:

This is your garbage. Can it! - Это ваш мусор. (?)

Здесь второе значение слова **can,** оно не имеет ничего общего с сильным глаголом:

can (n) - банка; бак; вообще металлический сосуд (ср. канистра);

garbage can - урна; мусорный бак (**garbage** стало определением);

can (v) - бросать в урну.

Вторая наша идея - разделение глаголов на сильные и слабые. Она проходит через всю английскую грамматику, но самое главное ее применение - построение вопросов и отрицаний. Ошибки в этой теме у начинающих звучат очень грубо и встречаются сплошь и рядом; их устранение - первостепеннная задача. Чтобы помочь этому, сформулируем три "направляющих подсказки".

Итак, вы хотите построить вопрос или отрицание, неважно устно или письменно. Спросите себя:

1) ГДЕ СМЫСЛОВОЙ ГЛАГОЛ? Вот примеры:

a)Вы умеете петь? b)Он хочет есть? c)Они - ваши друзья? (Здесь глагол-связка "быть, являться").

Вы помните - в абсолютном большинстве английских фраз обязательно должен быть глагол. Строя вопрос, начинающие часто "спотыкаются" на вопросительном слове или существительном. Первое напоминание: это все детали, главное правильно употребить глагол.

2) КАКОЙ ГЛАГОЛ? Вариантов два - сильный или слабый (этот материал изложен в 8-й главе).

a) **Can you sing?** (**can** - сильный глагол).

b) **Does he want to eat?** (**want** - слабый глагол).

c) **Are they your friends?** (**to be** - сильный глагол).

3) ЕСТЬ ЛИ ВТОРОЙ ГЛАГОЛ? Данные примеры относятся к простому настоящему времени (**Present Indefinite Tense**). Но когда появляется **Present Continuous Tense** (а появляться оно будет постоянно, обойтись без него нельзя; см. предыдущую главу), может возникнуть путаница, которая сбивает с толку многих начинающих. Смотрите:

He is a student. He reads a lot. But now he is sleeping.

В последней фразе глагол **to be** не смысловой, а вспомогательный, Он помог второму глаголу построить время **Continuous** (т.е. показать действие в развитии) и теперь все дальнейшие сложности (в том числе и вопросы) - это его забота. Но в простом времени - помощник другой, и путать их нельзя.

Is he a student? Is he sleeping now? Does he sleep well?

What do you read at home? What are you reading now?

Это два разных времени; или одно или другое - никакой середины не бывает. Итак, источник возможной ошибки вот в чем: второй глагол может просто стоять рядом с первым в простом времени или стоять "под началом" глагола **to be** в продолженном; во втором случае глаголу **to do** места быть не может.

He doesn't read a lot. He doesn't like to read. He isn't reading now.

Еще один базовый материал - формы глагола. Каждый глагол имеет пять форм (у сильных глаголов есть свои особенности); они являются ключом к глагольным времена и многим другим грамматическим темам Задача начального этапа - научиться уверенно различать их, а затем как бы “переливать глагол из одной формы в другую”:

Come here. - Yes, I’m coming!

Usually I come home early but yesterday I came late.

He calls me often.- Who is calling? - This is a new calling card.

Один из важнейших примеров чередования глагольных форм - вопросы и отрицания в простом прошедшем времени. Наша схема остается в силе, но теперь в утвердительном предложении глагол стоит во II форме, а в вопросе слабый глагол “возвращается” в I форму, отдавая II форму, как и любые изменения, вспомогательному глаголу:

You knew this. - Did you know this?

He told me about that. - Did he tell you?

Однако опять же, важно отличать простое время от продолженного:

He was sleeping when I came home. - Was he sleeping?

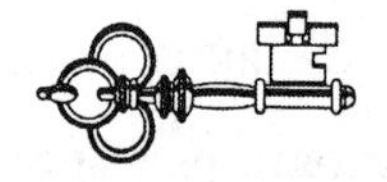

ГЛАВА 11

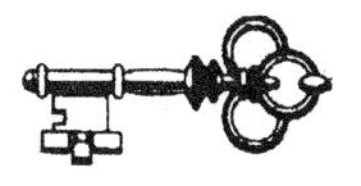

О ПРЕДЛОГАХ

Многим ли нравится учить грамматику? Скажем мягко, наплыва любителей ожидать не приходится. Ну, что ж, сегодня у нас приятная тема, которая никакого отношения к грамматике не имеет.

Что я имею ввиду? Четких правил, указывающих, какие где надо ставить предлоги, не существует. Есть только сложившееся употребление (**usage**). Своей формы эти короткие словечки никогда не меняют, и в этом смысле "грамматики" для предлогов нет. Но что-то легче от этого не становится. Даже люди, уже неплохо знающие язык, сплошь и рядом используют предлоги неправильно.

Так что мы, напротив, попробуем поискать какие-то закономерности употребления английских предлогов.

а) Предлоги **in, on, at** описывают положение в пространстве:

IN - в трехмерном восприятии (объем) -

in the box; in the garden; in the kitchen -

в коробке; в саду; на кухне.

ON - в двухмерном (плоскость) -

The cat is lying on the table. - Кошка лежит на столе;

a number on the door - номер на двери;

dirt on your shirt - грязь у вас на рубашке;

on the second floor - на втором этаже.

ON - в одномерном (линия)

a town on the Mississippi River - город на реке Миссисипи;

a village on the border - деревня на границе.

AT - положение в точке.

He is standing at my door. - Он стоит у дверей;

She is sitting at my desk. - Она сидит за моим столом;

The car is at the crossroads. - Машина - на перекрестке.

Обратите внимание, важно, как говорящий воспринимает это место, интересуется ли, "что внутри":

We meet at the theater. - Встречаемся в театре (точка встречи).

There are 200 seats in the theater. - В театре - 200 мест.

б) Предлоги перед географическими названиями:

IN перед названиями континентов **- in Europe;**

перед названиями стран **- in Spain;**

перед названиями штатов **- in Florida;**

перед названиями городов **- in London.**

перед названиями площадей **- in Times Square**

ON перед названиями улиц -

on Broadway, on Fifth Avenue, on 44th Street.

AT перед номерами домов, адресами -

at 45 Lake Road - в доме 45 по Озерной улице;

at my new address - по моему новому адресу.

Несколько примеров необычного для нас употребления предлогов:

at home, at work, at school (все без артикля) -

дома, на работе, в школе;

at the station, at the airport - на вокзале, в аэропорту;

at the seaside - у моря;

at the top - на вершине, наверху;

at Bob's house - у Боба в доме

в) Предлоги времени. Разные интервалы времени требуют разных предлогов.

Hours - AT. At 6 o'clock - в 6 часов; **At** 7:30 - в 7.30.

Days - ON. On Tuesday - во вторник; **On November, 1st** - 1 ноября.

Months, seasons, years, decades, centuries - IN.

in May - в мае;

in summer - летом;

in 1976 - в 1976 году;

in the 60s - в 60-е годы;

in the 20 century - в XX веке.

Когда речь идет о времени, русский предлог "через" переводится как **in**:

In two hours you must be at home. -

Через 2 часа вы должны быть дома.

by 6 o'clock - к 6 часам.

Фразы типа "на этой неделе", "в прошлом году" в английском не требуют предлога:

last week - на прошлой неделе;

this month - в этом месяце;

next year - в следующем году.

He left school last year. - Он бросил школу в прошлом году.

I'll see him next Tuesday. - Я увижу его в следующий вторник.

Не требует предлога еще один оборот:

two times a day - два раза в день;

three times a year - три раза в год.

I go to school 5 times a week . - Я хожу в школу 5 раз в неделю.

Теперь опять непривычные примеры:

at any time - в любое время;

at the moment - в данный момент;

at lunch - на ланче;

in the morning, in the evening - утром, вечером; однако:

on Sunday morning - воскресным утром;

at night - ночью.

Я думаю, вы обратили внимание, насколько труден для нас предлог **at** - в английском он один из самых употребительных, а в русском ему просто нет соответствия. Отмечайте все случаи, когда он вам встречается, к нему обязательно надо привыкнуть, со временем вы заметите определенные закономерности в его употреблении.

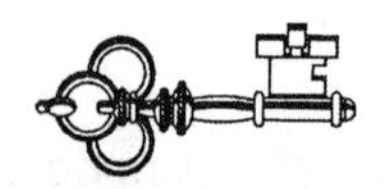

ГЛАВА 12

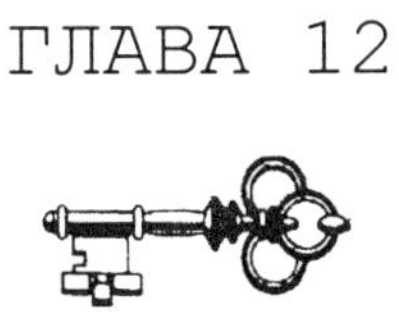

О ФИКТИВНЫХ ПОДЛЕЖАЩИХ

В русском языке сплошь и рядом встречаются предложения без подлежащего:

(1) Нас много. (2) Здесь темно. (3) На этот вопрос нелегко ответить.

В английском языке и подлежащее и сказуемое должны быть на месте. Мы знаем, что глагол (и следовательно сказуемое) в английском предложении есть всегда. Подлежащее же (если оно по смыслу отсутствует) можно для проформы заменить "манекеном". Такая ситуация совершенно непривычна для русскоязычных людей и порождает не только ошибки, но и неестественную речь, как бы кальку с русского.

Существует два таких случая (эта фраза как раз и является примером одного из них) - **There are two such cases.**

Когда надо сказать, что какой-то объект существует, наличествует, употребляется оборот **there + be**. Глагол **to be** при этом может стоять в разных временах, а его форма зависит от последующего существительного. Смысл этого оборота можно передать словом "имеется", причем часто делается акцент на том, где, в каком месте имеются предметы или люди. В каждом конкретном случае можно найти более удачное русское слово для перевода - есть, находится, расположен и т.д.; слово "имеется" звучит неуклюже, зато подходит всегда.

There is a child in the car! - В машине (есть) ребенок!

There are thirty days in April. - В апреле тридцать дней.

Is there a rest-room in this building? - В этом здании есть туалет?

There were two boys in the picture. -

На картине были изображены два мальчика.

Повторим еще раз: данный оборот описывает то, что имеется в интересующем нас месте. Так сказать, "опись имущества". Отсюда ясно, кстати, что называемые предметы идут с неопределенным артиклем (если это счетные существительные в единственном числе) - они нас интересуют не сами по себе, а как представители своей группы.

Русская конструкция выглядит логичнее: акцентируемые слова (обстоятельство места) стоят в начале фразы. По-английски так тоже можно:

Near the river there is a small house. -

Около реки есть небольшой дом.

Но чаще всего эти слова в английском варианте стоят в конце, так как сам оборот **there + be** уже показывает на что обратить внимание и тогда переводить предложение с английского на русский надо "с конца".

There are five apples on the table. - На столе лежат пять яблок.

There were seven candidates for the position. -

На это место было семь соискателей.

И еще один пример, чтобы напомнить, что слово **there** в этом обороте фиктивное, оно "не считается".

There is a dog there. - Там есть собака.

Давайте теперь взглянем на этот оборот с необычной стороны. Сравните два русских предложения:

У меня есть стол. - В комнате есть стол.

А теперь их перевод:

I have a table. - There is a table in the room.

Вся разница в том, на чем сделан акцент: кому принадлежит или где находится. При этом русский язык использует похожие конструкции, а английский - разные. Однако, в английском у этих двух оборотов есть другое сходство - они могут строить отрицание с помощью частицы **no**, вместо обычной **not**.

I have no books. - There are no books on the table.

There is no parking here. - Здесь нельзя ставить машину.

There is no smoke without fire. - Нет дыма без огня (Посл.).

There is no such thing as free lunch. - Не существует такой вещи, как бесплатный обед (в том смысле, что за все, в конечном итоге, приходится платить).

И, наконец, еще один пример - в виде вопроса:

How many children are there in your family? -

There are four of us. или **There are many of us.**

Глагол **to be** ведет себя как и положено сильному глаголу - меняется местами с подлежащим, пусть даже и фиктивным.

Другой пример ненастоящего подлежащего - местоимение **it**, когда речь идет о времени, расстоянии, погоде и т.д.

It is Tuesday today. It's five o'clock.

It was hot yesterday. It will be dark soon.

It's about 5 miles from here to the ocean. -

Отсюда до океана примерно 5 миль.

Этот оборот часто начинает более сложные предложения:

It's a pity that you can't come with us. -

Жалко, что вы не можете пойти с нами.

It's possible that he is simply a fool. -

Возможно, что он просто дурак.

It's a mystery what he sees in her. - Загадка, что он в ней находит.

Is it true that she is sick? - Правда, что она больна?

Интересная деталь: английский язык предпочитает помещать многослойные "тяжелые" сочетания (несущие основную смысловую нагрузку) в конце предложения. Можно, в принципе, сказать так:

To see him with a girl was unusual.

Подчеркнутые слова (инфинитивная форма) являются подлежащим: оказывается и это по силам глаголу. Впрочем, вот перевод:

Видеть его с девушкой было непривычно.

Но в английском языке нормой является другое расположение слов и тогда место подлежащего занимает **it**:

It was unusual to see him with a girl.

It was nice to meet your friend. -

Было приятно познакомиться с вашим другом.

It is difficult to be a boss. - Трудно быть начальником.

It isn't easy to answer this question. -

На этот вопрос нелегко ответить.

It's hard to understand what she is talking about. -

Трудно понять, о чем она говорит.

Изредка к заменителю подлежащего **it** пристраиваются и другие глаголы:

It always pays to tell the truth. - Говорить правду всегда окупается.

It takes 3 minutes to boil an egg. - Сварить яйцо занимает 3 минуты.

Вопросы к таким примерам даются нелегко; понимание того, что **it** является подлежащим, поможет вам:

How long does it take to boil an egg?

Глава 13

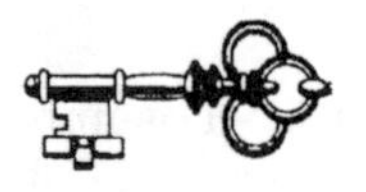

О НЕПРАВИЛЬНЫХ ГЛАГОЛАХ

Как мы уже говорили, английские глаголы делятся на две неравные группы - правильные (т.е. соответствующие правилу) и неправильные. Правило, о котором идет речь, описывает образование II и III формы: II ф = III ф = I ф + **-ed**.

II форма существует в английском языке специально для построения времени Past Indefinite:

When I was young I played basketball.

Время это у изучающих язык обычно ассоциируется с чисто технической проблемой: как заучить все неправильные глаголы? Ну, что ж, давайте порассуждаем. Во-первых, надо представить объем предстоящей работы - в английском языке около 250 неправильных глаголов. Обойтись без них невозможно - не забывайте, что в исключения имеют тенденцию попадать самые важные слова. Однако, большая часть из них встречается нечасто, так что на начальном этапе вам придется запоминать II и III формы "всего" для 50 -70 глаголов.

Похоже на противоречие, не правда ли? Если самые важные, почему редко встречаются? Для того, чтобы найти разгадку, надо учесть неожиданный фактор - время, причем не грамматическое, а самое что ни на есть жизненное. Дело в том, что современный язык формировался сотни лет назад и многие слова, бывшие тогда в числе самых важных, ныне свою значимость утеряли (например, глаголы, связанные с трудовой деятельностью - жать, прясть и т.д.). Многие такие слова перешли, в основном, в поэтическую, возвышенную лексику.

И еще. У нас уже было деление глаголов на сильные и слабые; оно более глубокое и относится к самым основам английской грамматики. Сильных глаголов всего 10 и все они, естественно, неправильные с точки зрения форм. Тем, кто только начинает изучение языка, я бы посоветовал составить собственной рукой табличку форм основных сильных глаголов **(to be, can, may, must, shall, will).**

Как же проще всего выучить нужные вам неправильные глаголы? В учебниках приводятся их алфавитные списки (полные или "усеченные"). Это удобно для справочных целей, но для запоминания - вы уже, наверно, убедились - почти безнадежно. Я предложу вам другую систему подбора - по сходству звучания. Оказывается, английские неправильные глаголы можно разбить на несколько характерных групп (мы приведем лишь простейшие примеры, при желании вы сможете их дополнить сами; в скобках указываются II и III формы глагола).

I группа - короткие односложные глаголы, у которых все три формы совпадают:

cut (cut, cut) - резать;

put (put, put) - класть;

let (let, let) - позволять;

shut (shut, shut) - закрывать;

cost (cost, cost) - стоить;

hit (hit, hit) - ударять.

Глагол **read (read, read)** имеет одну особенность: его II и III формы произносятся как слово **red**.

2 группа: **send (sent, sent)** - посылать;

lend (lent, lent) - одалживать;

bend (bent, bent) - сгибать;

spend (spent, spent) - тратить.

3 группа: **know (knew, known)** - знать;

grow (grew, grown) - расти;

blow (blew, blown) - дуть;

throw (threw, thrown) - бросать,

4 группа: **lead (led, led)** - вести;

feed (fed, fed) - кормить;

bleed (bled, bled) - кровоточить.

5). Для следующей группы характерно чередование гласных:

sing (sang, sung) - петь;

ring (rang, rung) - звонить;

drink (drank, drunk) - пить;

swim (swam, swum) - плавать;

begin (began, begun) - начинать.

6 группа: **feel (felt, felt)** - чувствовать;

sleep (slept, slept) - спать;

keep (kept, kept) - хранить; держать

weep (wept, wept) - плакать;

sweep (swept, swept) - подметать.

7 группа: **bear (bore, born)** - терпеть; рождать;

tear (tore, torn) - рвать

wear (wore, worn) - носить (одежду) ;

swear (swore, sworn) - клясться; ругаться.

8) В этой группе глаголы лишь немного отошли от правила в написании, а глагол **say** еще и в произношении, будьте внимательны:

lay (laid, laid) - класть;

pay (paid, paid) - платить;

say (said, said) - сказать.

9) И, наконец, группа совсем непохожих между собой глаголов, их II и III формы очень непривычны для нас. Отметьте, здесь есть два варианта написания, но последние 5 букв всегда читаются одинаково: **bought** (как "бо-от"), **caught** (как "ко-от):

bring (brought, brought) - приносить;

think (thought, thought) - думать;

fight (fought, fought) - бороться;

buy (bought, bought) - покупать;

catch (caught, caught) - ловить;

teach (taught, taught) - учить.

Будет хорошо, если для себя вы сами составите еще одну группу из глаголов, которые образуют II и III формы совсем своеобразным способом; в нее попадает десятка полтора самых важных слов (таких, как **do, go, run, see** и т.д.). Но этот список будет уже не столь устрашающим. Попробуйте сами найти общее в построении II и III форм у изучаемых вами глаголов. Обратите внимание, что обычно все три формы строятся от одной основы (т.е. первая буква у них совпадает). Есть лишь два заметных исключения: **to be (is - was - been)** и **go (went, gone).** Но и в русском: есть - был, иду - шел, не удивительно ли это?

Еще раз хочу обратить ваше внимание: все неправильные глаголы (если оставить в стороне "устаревшие" слова) являются важными, но не все важные глаголы - неправильные (примерно половина). Выбор достаточно случаен, для примера взглянем на пары глаголов совершенно равной употребимости - один из них правильный, а второй нет: **look - see; listen - hear.**

В заключение, небольшое грамматическое напоминание - как избежать стандартных ошибок (еще раз попробуем подстелить соломку). Когда слабые глаголы строят вопросы или отрицания в простом прошедшем времени,на сцене появляется вспомогательный глагол **to do** (во II форме), а смысловой глагол возвращается к основной форме; поэтому в реальной речи все время приходится "переключаться" от одной формы глагола к другой; это непростой навык - он требует внимания и определенной тренировки:

I saw David at school. - I didn't see him.

He bought a new jacket. - Did he buy a new jacket?

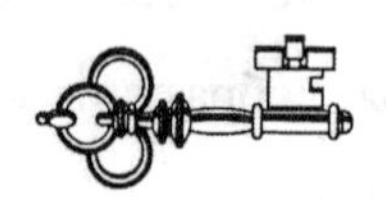

Глава 14

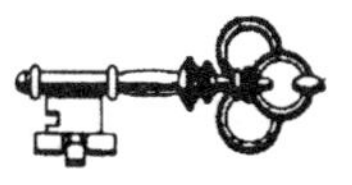

О ПРИСТАВКАХ

Когда мы пытаемся разобраться, как действуют английские приставки, мы невольно опираемся на привычные нам “русские образцы”. Однако, в данном случае аналогии работают только частично. Чтобы проследить их, разделим примеры употребления приставок в русском языке на две большие группы:

1) приставки, входящие в состав глаголов (входить, уходить, находить) - им соответствуют словосочетания типа **phrasal verbs (come in, come out, come up with, come down with);** это большая и сложная группа слов, к которой мы постепенно будем искать подступы.

2) прочие приставки (английский терми - **prefixes**), чаще всего они встречаются в составе существительных и прилагательных; они, хотя бы, расположены на привычном для нас месте. Число таких приставок в английском меньше, чем в русском, но их роль, конечно, не менее важна. Они и будут предметом нашего разговора.

Самая распространенная английская приставка - это **in**; у нее есть два совершенно разных значения. Приведем сначала примеры, соответствующие паре **in - out** (внутри - снаружи, это - упрощенный перевод):

income - доход, приход, поступления.

You have to pay taxes on income over $ 7000. -

Доходы свыше 7 тысяч долларов облагаются налогом.

outcome - результат, исход

the final outcome of the elections -

окончательные результаты выборов.

(Обратите внимание, что знакомые вам слова **inside - outside** могут также быть существительными, хотя на русский они обычно переводятся как наречия):

The outside of this house is painted green. -

Снаружи дом покрашен в зеленый цвет.

The inside of this cake is quite hard. -

Внутри это пирожное довольно жесткое.

incoming - outgoing calls - телефонные звонки, идущие к вам - от вас (входящие - исходящие).

No outgoing calls, please! - Телефоном не пользоваться! (Вы можете ответить на звонок, но сами позвонить не можете).

Вот еще два важных "медицинских" слова:

inpatient - пациент, который лежит в клинике

outpatient - приходящий (амбулаторный) больной.

Иногда приставка **in**- принимает измененную форму **im**- (в этом случае противоположной ей является приставка **e**- или **ex**-):

immigration - переселение (в страну)

emigration - переселение (из страны).

Возьмем, к примеру, корень **port**-, который имеет латинское происхождение и означает "нести, везти"; тогда становится понятным изначальный смысл привычных слов **import** - **export** (ввоз - вывоз) и **transport** - перевоз; отсюда же идут слова **porter** - носильщик и **important** - важный, т.е. привносящий значимость.

А сейчас обратимся к отрицательным приставкам (они образуют огромное количество слов). Две самые важные из них - **un-, in-** (это ее второе значение). Хотя эти две приставки и совпадают по смыслу, но также, как русские *не-* и *без-*, друг друга заменять не могут - язык использует только один вариант каждого слова:

un - тяготеет к словам исконно английского происхождения:

unhappy - несчастливый

unlucky - невезучий

unknown - неизвестный

unconscious - бессознательный; потерявший сознание

undress - раздеваться

uneasy - стесненный; неловкий; беспокойный;

in - встречается в словах латинского происхождения:

incorrect - неверный

inevitable - неизбежный

incredible - невероятный

innocent - невинный.

Эта приставка изменяет свою согласную, согласовывая ее с первой буквой корневого слова:

im - перед **m, p**:

impossible - невозможный; **immortal** - бессмертный;

ir - перед **r: irresponsible** - безответственный;

il - перед **l: illegal** - незаконный.

Есть еще несколько менее распространенных отрицательных приставок:

non - присоединяется к существительным и прилагательным:

non-stop - безостановочный;

non-stop flight - беспосадочный перелет;

non-smoker - некурящий;

nonprofit - некоммерческий:

nonprofit organization - организация, не ставящая целью извлечение прибыли;

dis - присоединяется к глаголам (в русском она иногда заимствуется - "дискомфорт"):

dislike - не любить; **disagree** - не соглашаться;

mis - "хитрая" приставка, в русском такой нет. Показывает, что действие совершается неправильно:

misunderstand - неправильно понимать:

You misunderstood me. - Вы меня неправильно поняли.

It's just a misunderstanding. - Это просто недоразумение,

misleading advertisement -реклама, вводящая в заблуждение.

И, наконец, приставка **mal-**, означающая "плохой, дурной" (этот же корень прослеживается в слове **malign** - дурной, злой; злокачественный):

malnutrition - плохое питание;

malpractice - преступная небрежность врача при лечении больного;

malpractice insurance - страховка от подобного обвинения, которой пользуются врачи в Америке.

Поговорим в заключение об одном важном суффиксе, который часто сочетается с отрицательными приставками. Исходным для него является прилагательное **able** - способный, могущий.

He is an able artist. - Он способный художник.

able to perform military service -

годный к прохождению военной службы

Суффикс **-able** присоединяется к глаголу, образуя прилагательное, и показывает, что названное действие можно осуществить:

transportable - переносной (транспортабельный)

readable - "читабельный" (можно читать)

Обратите внимание, в русском языке такого суффикса нет и поэтому он иногда заимствуется (в словах типа "диссертабельный"). Однако, таких слов немного и обычно перевод приходится подыскивать:

laughable - смехотворный

lovable - привлекательный

recognizable - узнаваемый

workable - осуществимый; годный для обработки

eatable (у этого слова есть синоним **edible**) - съедобный

drinkable - годный для питья. (Вы видите, как удобен данный суффикс). Очень часто он употребляется в сочетании с отрицательными приставками:

incurable - неизлечимый

unreliable - ненадежный (нельзя положиться)

unthinkable - немыслимый

unbelievable - невероятный (нельзя поверить)

uncountable - неисчислимый

unacceptable - неприемлемый.

Забавная иллюстрация употребимости этого суффикса: под Иерусалимом есть источник, из которого, по преданию, пила Дева Мария. Над ним прибита теперь доска с прозаической надписью:

The water is undrinkable.

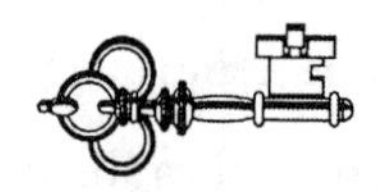

Глава 15

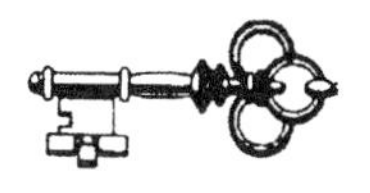

О СРАВНЕНИИ ПРИЛАГАТЕЛЬНЫХ

Важной особенностью качественных прилагательных (т.е. обозначающих качество предмета: широкий, мягкий) является то, что у них есть степени сравнения. Бывают, правда, и относительные прилагательные, у которых нет степеней сравнения (**empty** - пустой; **dead** - мертвый), однако их не так много.

Степени сравнения прилагательных в английском и русском языках в сущности схожи и могут образовываться двумя путями:

1) с помощью суффиксов: длинный - длиннее - длиннейший;

2) с помощью дополнительных слов:

убогий - более убогий - самый убогий.

В английском языке в первую категорию попадают все односложные слова и большая часть двусложных. Сравнительная степень образуется с помощью суффикса **-er** (это его второе значение, никак не связанное с первым: **read - reader**):

A man lives longer than a dog. - Человек живет дольше, чем собака.

После слова **than** может стоять и придаточное предложение:

Bob is taller than his father was at this age. -
Боб выше, чем его отец был в этом возрасте.

Превосходная степень требует суффикса **-est** и определенного артикля, поскольку обычно здесь подразумевается конкретный, выделенный из ряда других объект:

Give him the biggest sandwich. -

Дайте ему самый большой бутерброд.

This is the shortest way to London. -

Это кратчайший путь в Лондон.

В русском языке есть исключения - прилагательные, образующие степени сравнения от разных корней: хороший - лучше - лучший; плохой - хуже - худший.

Такая же ситуация и в английском: несколько прилагательных (конечно же из числа самых употребимых) образуют степени сравнения от разных основ:

good - better - best;

bad - worse - worst;

much, many - more - most;

little - less - least.

Выпишем несколько пословиц с этими словами, чтобы они лучше запомнились:

Two heads are better than one. -

Одна голова хорошо, а две - лучше.

Better an egg today than a hen tomorrow. - (Эквивалентно русской пословице): Лучше синица в руках, чем журавль в небе.

East or West - home is best. - Лучше дома места нет.

The best is often the enemy of the good. -

Лучшее часто враг хорошего.

The worst wheel of the cart creaks most of all. -

Самое плохое колесо в телеге скрипит больше всего.

If worse comes to worst... - В самом худшем случае...

С помощью слов **more (less), most (least)** образуются степени сравнения многосложных прилагательных:

This magazine is more respectable. - Этот журнал более солидный.

She is the most beautiful girl in our class. -

Она - самая красивая девушка в нашем классе.

English is less difficult than Chinese. -

Английский язык менее труден, чем китайский.

Теперь несколько дополнительных замечаний, которые пригодятся на практике.

а) Слово **much** усиливает сравнение:

She looks much better now. - Она теперь выглядит намного лучше.

He understands much more than you think. -

Он понимает намного больше, чем вы думаете.

б) Слово **most** имеет дополнительные значения - перед существительными оно означает "большинство; большая часть". Обратите внимание на два возможных варианта его употребления:

most children - most of the children;

оба они часто встречаются и различие между ними не слишком принципиально: в первом случае имеются в виду дети вообще, а во втором - те конкретные дети, на которых вы указываете.

Most drivers break the speed limit. -

Большинство водителей нарушают предел скорости.

Most of the drivers in our group are over 50. -

Большинство водителей в нашей группе старше 50 лет.

It rained for the most of the day. -

Большую часть дня шел дождь.

She does nothing most of the time. -

Она ничего не делает большую часть времени.

Most of us know this actor. -

Большинство из нас знает этого актера.

What film did you like the most? -

Какой фильм вам понравился больше всего?

Нужно отметить с сожалением, что употребление артиклей перед словом **most** весьма запутанно - иногда можно и так и так, а иногда значение меняется. Приведем еще несколько устоявшихся выражений:

at (the) most - самое большее

I can pay $200 at the most. -

Я могу заплатить самое большее 200 долларов.

He is very young; at most 20 years old. -

Он очень молод - ему от силы 20 лет.

for the most part - большей частью, в целом

I agree with your plan for the most part. -

В целом я согласен с вашим планом.

to make the most of something -

максимально воспользоваться чем-то

We have only one day in London, so let's make the most of it. -

У нас всего один день в Лондоне, так что давайте проведем его с максимальной пользой.

в) Еще один важный оборот - два прилагательных в сравнительной степени с определенным артиклем показывают пропорциональное изменение (чем…, тем…):

The sooner, the better. - Чем скорее, тем лучше.

The more, the merrier. - (Посл.)Чем больше, тем веселее (имеется в виду - чем больше людей…; ср. в тесноте, да не в обиде).

The more you have, the more you want. -

Чем больше имеешь, тем больше хочется.

The better I get to know him, the less I like him. -

Чем больше я его узнаю, тем меньше он мне нравится.

г) Особая конструкция описывает равенство по какому-то показателю: **as…as…** - такой же, как…

The car is as big as its owner. -

Эта машина такая же большая, как ее хозяин.

It's not as cold as yesterday. - Сейчас не так холодно, как вчера.

His hand was as cold as ice. - Его рука была холодна как лед.

Похожий оборот может сравнивать также и глаголы:

I ate as much as I could. - Я съел столько, сколько смог.

д) В плане степеней сравнения особняком стоит прилагательное **far** - далекий, дальний. Оно как бы разбивается на два значения:

farther, farthest - когда имеется в виду расстояние:

Chicago is farther from New York than Boston.

further, furthest - в переносном смысле - далее, в дальнейшем; в дополнение:

It doesn't make any sense to discuss it further. -

Не имеет никакого смысла обсуждать это дальше.

We need some further information. -

Нам нужна дополнительная информация.

until further notice - до последующего уведомления

e) И, наконец, последнее замечание - не путайте два похожих словосочетания:

at least - по меньшей мере; по крайней мере

at last - наконец

I'm free at last! - Наконец-то я свободен!

It's hard to do but at least you can try. -

Это трудно сделать, но, по крайней мере, вы можете попробовать.

Least of all he worries about you . -

Меньше всего он беспокоится о тебе.

Last but not least. - Последний по счету, но не по значимости (так часто говорят, чтобы подчеркнуть роль небольшого, но важного фактора).

И , наконец, еще одна пословица с этими словами, на этот раз с весьма прагматичным взглядом на жизнь:

Do as most men do, then most men will speak well of you.

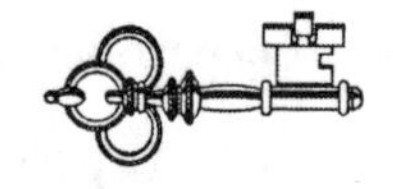

Глава 16

О СИНОНИМАХ И АНТОНИМАХ

Давайте начнем эту тему с простых примеров, взятых из русского языка: "смелый, храбрый" - это синонимы; "легкий - трудный; легкий -тяжелый", это антонимы. Если стараться говорить без терминов, можно было бы сказать "слова с близким или противоположным значением", но так получается слишком длинно (в английском языке есть очень удачное слово **opposites**, которое часто применяют к антонимам).

“Black” is the opposite of “white”. -

Слова “черное” и “белое” имеют противоположные значения.

В приведенных примерах "проступают" очертания тех проблем, с которыми нам приходится сталкиваться. Синонимы соответствуют друг другу лишь отчасти и употребляются по-разному: человек может быть и смелым и храбрым, а мысль - только смелой. Если слово имеет несколько значений (а так чаще всего и бывает, хотя в родном языке мы об этом не задумываемся), то и антонимы у него будут разные. Даже очень простые, обиходные слова могут таить в себе определенные трудности.

Давайте рассмотрим несколько примеров:

high, tall - высокий

Tall (opposite to short) употребляется при описании людей, деревьев, зданий, т.е. объектов, которые вытянуты в вертикальном направлении.

He is a very tall man but his brother is short. -

Он очень высокий, а его брат - маленький.

There is a tall tree in our garden. -

В нашем саду есть высокое дерево.

High (opposite to low) характеризует расстояние от земли:

Mont Blanc is the highest mountain in Europe. -

Монблан - самая высокая гора в Европе.

The living room has a high ceiling. - В гостиной - высокий потолок.

A child standing on a chair is higher than his father, but not taller.

(Как видите, последнее предложение нелегко перевести на русский; это напоминает известное высказывание Наполеона о своем ординарце: он не выше меня, а длиннее).

Когда речь идет о толщине, для описания неживых объектов употребляются слова **thick - thin** (толстый - тонкий).

a thick slice of bread - толстый кусок хлеба;

This orange has a very thick skin. -

У этого апельсина очень толстая кожура.

a thin sheet of paper - тонкий лист бумаги.

Когда речь идет о плотности, эти два слова переводятся иначе: **thick - thin** (густой - жидкий).

This paint is too thick - add some water to it. -

Эта краска слишком густая - добавь немного воды.

thick or thin soup (wine, beer, etc.) -

густой или жидкий суп (вино, пиво и т.д.).

Blood is thicker than water. - Кровь людская - не водица. (Посл.)

Однако: **thick or thin forest** - густой или редкий лес;

Your hair is getting thin on top. - У вас волосы редеют на макушке.

Когда говорят о людях или животных, рассматриваемая пара слов видоизменяется и в русском и в английском:

fat - thin (толстый - худой).

Your cat is too fat. - Ваша кошка - слишком толстая.

She is getting thin. - Она худеет.

He is as thin as a rail. - Он - худой как щепка (букв. как рельс).

Наконец, у слова **thin** есть еще одно значение - бедный по содержанию.

thin diet - скудная диета

thin excuse - неубедительная отговорка

thin humor - бедноватый юмор.

Следующая пара прилагательных:

light - dark (светлый - темный).

She has light (dark) hair. - У нее светлые (темные) волосы.

a light brown shirt - светло-коричневая рубашка

a dark green suit - темно-зеленый костюм

Слово **light**, не меняя своей формы, может быть также и существительным и глаголом.

(n) light - свет, освещение, огонь

I can't read by the light of moon. - Я не могу читать при свете луны.

Turn on the lights - it's getting dark. - Включите свет - темнеет.

traffic lights - светофор

lighthouse - маяк.

Do you see the red lights of this car? -

Ты видишь красные огни этой машины?

You went through a red light once again! -

Ты опять поехал на красный свет!

Can you give me a light? - У вас есть огонек? (прикурить)

His words throw some light on this story. -

Его слова проливают свет на эту историю.

(v) light (lit, lit) - зажигать, освещать

Light a match - I can't see in the dark. -

Зажги спичку - я не вижу в темноте.

A smile lit up her face. -

Улыбка осветила ее лицо.

lighter - зажигалка

У слова **light** есть еще одно значение, никак не связанное с предыдущим:

light - heavy (легкий - тяжелый).

Don't lift this box - it's too heavy. -

Не поднимайте эту коробку - она слишком тяжелая.

light as a feather - легкий как перышко;

light clothing (meal) - легкая одежда (еда).

Иногда "легкий" означает "несерьезный":

light music (reading) - легкая музыка, легкое чтиво

light (serious) illness - легкая (серьезная) болезнь.

Русское слово "легкий" тоже двузначно (несоответствие разных значений слов в русском и английском "создает" причудливые цепочки): легкий - трудный (**easy - hard**).

Life is easy for him. - У него легкая жизнь.

If it's so easy, try to do it yourself! -

Если это так легко, попробуй сделать это сам!

This crossword puzzle is too hard for me. -

Этот кроссворд слишком трудный для меня.

hard times - трудные времена.

Это значение слова **hard** близко к слову **difficult.** Однако у **hard** есть и другие значения:

hard - soft (твердый - мягкий).

He doesn't like to sleep on a hard bed. -

Он не любит спать на жесткой кровати.

The seats in this car are too soft. -

Сидения в этой машине слишком мягкие.

You can't wash clothes in such hard water. -

В такой жесткой воде нельзя стирать.

a book in a hard cover - книга в твердой обложке

He tied the rope in a hard knot. - Он связал веревку тугим узлом.

a hard nut to crack - крепкий орешек.

Упомянем здесь еще три "очень жизненных" словосочетания:

soft drink - безалкогольный напиток

hard liquor - крепкий спиртной напиток

hard cash - "живые" деньги

Слово **hardware** (**-ware** это своеобразный суффикс, обозначающий изделия из данного материала) можно перевести как металлоизделия в противовес товарам, сделанным, например, из ткани). С появлением компьютеров эта пара (**hard - soft**) приобрела еще одно звучание: **hardware** - то, что сделано из металла (т.е. детали компьютера); **software** - то, что сделано из бумаги (матобеспечение).

Еще одно значение слова **hard** (это одно из самых употребительных слов английского языка) обычно переводят как "усердный". Это значение накрепко связано с понятием работы:

he works hard; he is a hard worker -

он усердный работник; много "вкалывает".

She is working hard on this project. -

Она много работает над этим проектом.

Однажды я слышал, как начальник сказал своему подчиненному:

If you like hard work, I'll see that you get it. - Если вы любите тяжелую работу, я позабочусь, чтобы она вам досталась.

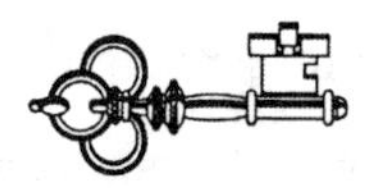

Глава 17

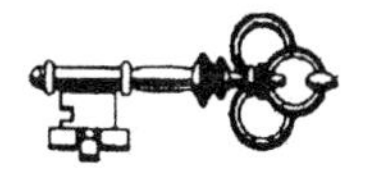

НАРЕЧИЕ В ТЕНИ ПРИЛАГАТЕЛЬНОГО

На этот раз заголовок выдает с головой и придется признаться: мы будем говорить о грамматике. Однако никаких правил не последует. Кроме "больших" правил, существует множество мелких деталей, обойтись без которых никак нельзя. Для многих, изучающих язык, оказывается неожиданным то, что стоит только разобраться с какими-то подробностями, как немедленно "всплывают" новые. На мой взгляд, одной из причин, тормозящих прогресс в изучении языка, является желание следовать очень простым схемам, неготовность к тому, что по мере продвижения картина языка все время усложняется.

Сейчас мы попробуем приглядеться к некоторым сложностям двух родственных частей речи - прилагательного и наречия. Итак, функция прилагательного состоит в том, чтобы определять существительное, при этом располагаться оно может двояким образом:

Конструкция 1 - (перед существительным) - **This is a new car.**

Конструкция 2 - (после существительного) - **This car is new.**

В русском языке даже существует специальная форма для второго варианта: Это хороший дом. - Этот дом хорош.

В английском, к счастью, дополнительных форм не появилось, однако различие между этими двумя конструкциями весьма глубокое, хотя и не сразу заметное. Большинство прилагательных (но не все) употребляется в обеих конструкциях. Мы начнем с мелких оттенков в значении слова **old**:

He is my old friend. - Говорит о давней дружбе.

My friend is very old. - Говорит о его возрасте.

Слово **little**, когда речь идет о предметах, может стоять только перед существительным:

What a nice little table! - This table is small.

Однако, о людях: **When I was little...** - Когда я был маленьким...

Разницу между этими двумя словами описать не так просто: **small** беспристрастно говорит о малых размерах, а **little** отражает эмоциональное отношение говорящего:

A pony is a small horse. - Пони - это маленькая лошадь.

What a pretty little house! - Какой симпатичный маленький домик!

What's that nasty little boy doing now? -

Что делает сейчас этот противный мальчишка?

Теперь перейдем к наречиям:

He plays tennis badly. - Он плохо играет в теннис.

Функции этой части речи столь разнообразны, что дать простое определение не удается. Однако, если наречие отвечает на вопрос как?, оно определяет глагол подобно тому, как прилагательное определяет существительное. При этом оно обычно (но не всегда) образуется от основы прилагательного с помощью суффикса **-ly** (**easy - easily**). Есть и другой вариант (см. ниже), но только одному прилагательному соответствует совершенно особое наречие:

(**good - well**).

He is a good player. - He plays tennis well.

I know him well. - She speaks English well.

Это слово настолько важно, что я хочу остановиться на нем подробнее. У него есть еще одно значение: когда речь идет о самочувствии, оно выступает как прилагательное, но при этом употребляется только во 2 конструкции:

How are you? - I'm well, thanks.

I don't feel very well. - Я себя не очень хорошо чувствую.

Запомните, слово **well** в этом значении говорит только о здоровье; если вы хотите сказать, что чувствуете себя удобно, комфортно - надо употребить другое слово.

When I listen to this music I feel fine. -

Когда я слушаю эту музыку, у меня хорошо на душе.

Наконец, в начале фразы, отделенное запятой, **well** показывает, что вы хотите подвести итог в некоторой ситуации:

Well, we are here at last. - Ну, наконец-то мы здесь.

В русском языке ему нет точного аналога; иногда его просто не надо переводить.

Well, the laundry is finished. - Ну вот, стирка закончена.

What do you think about this? -Well, this is an important problem.-

Что вы думаете об этом? - Что ж, это - важная проблема.

Возвращаемся к прилагательным. Выясняется, что некоторые из них не могут стоять перед существительным (в пару к слову **well** попадает его антоним **ill**):

How is your aunt? - She is well. - Она здорова.

She is a healthy woman. - Она здоровая женщина.

He is very ill. - Он очень болен.

He is a sick person. - Он больной человек.

Sick может употребляться в любой конструкции. Различие между словами **ill** и **sick** не очень велико, как между русскими словами "больной - нездоровый"; **ill** относится к более серьезным случаям.

Вот еще несколько прилагательных, которые обычно стоят после существительного или его замены; они как бы "связаны" с глаголом и переводить их надо только вместе.

to be glad - радоваться

I am glad that you're here. - Я рад, что вы здесь.

to be afraid (of) - бояться (чего-то)

She is afraid of dogs. - Она боится собак.

to be sorry - сожалеть

He is sorry about it. - Он сожалеет об этом.

to be alike - быть похожим

They are very much alike. - Они очень похожи.

Как мы уже говорили, окончание - **ly** обычно превращает прилагательное в наречие.

He is a quiet boy. - He plays very quietly.

Однако примерно десяток употребительных прилагательных становятся наречиями не меняя своей формы (**fast, hard, near, high, low, fine** и др.).

The mountain is high. - He can jump very high.

Но если эти слова все же присоединяют частицу **-ly**, надо быть внимательным - их значение меняется.

near - близкий; близко.

The pharmacy is near the bank. - Аптека - близко от банка.

nearly - почти

We are nearly finished. - Мы почти закончили.

high - высокий; высоко

A plane is high in the sky. - Самолет - высоко в небе.

highly - очень; крайне

I highly recommend this film. - Я крайне рекомендую этот фильм.

late - поздний; поздно

He goes to bed late. - Он поздно ложится спать.

lately - недавно; в последнее время

He has been very busy lately. - В последнее время он очень занят.

hard - трудный; твердый; усердный; трудно; твердо; усердно.

He is working hard. - Он усердно трудится.

hardly - едва; вряд ли

I hardly know him. - Я его едва знаю.

I was so angry that I could hardly speak. -

Я был так сердит, что едва мог говорить.

This is hardly the time to buy a new house.

Вряд ли сейчас время для покупки нового дома.

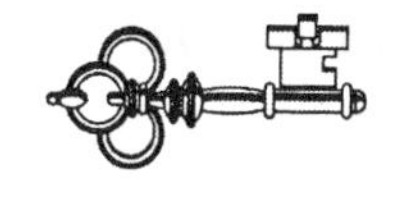

Глава 18

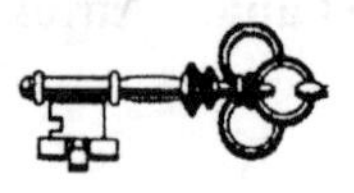

THE ONE YOU LOVE

(о словах-заместителях)

Обычно мы стараемся не употреблять одно и то же слово дважды в одном предложении, находя ему подходящую замену. Чаще всего в этой ситуации оказываются существительные, а роль “стандартного” заместителя исполняют личные местоимения: "Я купил машину, а она сломалась."

Однако, в английском языке есть несколько случаев замены слов, несвойственных русскому.

А) **one** - заместитель существительных.

I see a big dog and a small one. -

Я вижу большую собаку и маленькую.

Почему потребовался такой заместитель? Дело в том, что в английском языке определители не могут стоять в отрыве от существительного (в русском, как видите, - могут).

One выступает в этом случае как "слово-подпорка".

Which car do you like? - The blue one. -

Какая машина вам нравится? - Синяя.

Which book is yours? This one or that one? -

Какая книга ваша? Эта или та?

Give me a cake. - Which one? - The biggest one. -

Дайте мне пирожное. - Какое? - Самое большое.

Эта роль слова **one** так важна, что оно используется и во множественном числе:

Don't buy the red apples. Buy the green ones. -

Не покупай красные яблоки. Купи зеленые.

The new shoes are much better than the old ones. -

Новые туфли намного лучше, чем старые.

Обратите внимание на оборот **"the one":**

Which house is yours? - The one near the gas station.

Какой дом ваш? - Тот, что возле бензоколонки.

We need a good dancer, and I think he is the one. -

Нам нужен хороший танцор, и я думаю, он тот самый человек.

Очень интересно выражено в английском языке понятие "близкий, любимый человек" -

"the one you love" (в единственном числе) и

"the loved ones" (во множественном):

Send flowers to the one you love. -

Пошлите цветы своей любимой.

The soldiers are looking forward to meet their loved ones. -

Солдаты с нетерпением ждут встречи со своими близкими.

Однако, употребить неопределенный артикль перед словом **"one"** - это будет "масло масляное", если только их не разделяет прилагательное:

This cup is dirty. Can you give me a clean one? -

Эта чашка грязная. Вы можете дать мне чистую? -

I need a pen. Do you have one? -

Мне нужна ручка. У вас она есть?

А теперь приведем ряд близких по смыслу фраз, отражающих следующие различия: один объект или много; новый он или уже упомянутый. Обратите внимание на разные слова-заместители:

I don't have a pen, and I'll need one. (one = a pen)

I don't have books, and I'll need some. (some = some books)

Now I have a pen. I found it in my bag. (it = the pen)

I've got the books. Bob gave them to me. (them - the books)

B) В английском языке есть еще один заместитель существительных, который употребляется в более официальной речи (как русское слово "таковой") - **that (of):**

This theory works better than that of your colleague. -

Эта теория работает лучше, чем теория вашего коллеги.

C) В русском языке нет проблемы замены повторяемых глаголов - их просто опускают: Он поет лучше, чем ты (поешь).

В английском же от глагола так просто не избавишься. Рассмотрим сначала вопрос-подтверждение **(tag question);** эта конструкция особенно популярна в британском варианте английского языка. Если основное предложение является утвердительным, то к нему "пристраивается" вопрос в отрицательной форме:

It is a nice evening, isn't it? - Хороший вечер, не так ли?

There is a mistake in this test, isn't there? -

В этом тесте ошибка, не правда ли?

She can type, can't she? - Она ведь умеет печатать?

You could tell me about it yourself, couldn't you? -

Разве ты не мог мне сам об этом сказать?

Так строят вопрос-подтверждение глагол **to be** и модальные глаголы (их мы называем сильными). А всем остальным, слабым глаголам требуется помощь вспомогательного - **to do:**

You live in Boston, don't you? - Вы ведь живете в Бостоне?

He came first, didn't he? - Он пришел первым, правда?

Если основная фраза содержит отрицание, вопрос становится утвердительным:

She can't speak German, can she? -

Она ведь не умеет говорить по-немецки?

You don't smoke, do you? - Вы ведь не курите?

D) В отсутствие вопроса глагол **to do** помогает избежать повторения слабого глагола; в будущем времени для этой цели употребляется глагол **will:**

I don't drive, but my sister does. -

Я не вожу машину, а моя сестра водит.

He went to the movies, but I didn't. -

Он пошел в кино, а я не пошел.

Tell me the truth. - I will. -

Скажите мне правду. - Я так и сделаю.

E) В английском эквиваленте конструкции "И я - тоже" употребляются слова **"too; either";** первое - в утвердительных, а второе - в отрицательных предложениях:

He is a doctor. I am, too.

We enjoyed the movie. She did, too.

She can't swim. I can't, either.

I will not eat. He won't, either.

Англичане обычно ставят запятую перед этими словами; американцы - не всегда.

Есть еще одна конструкция:

"So do I"; "Neither do I"- "И я - тоже"; "А я - нет" (в первой своей части она дублирует предыдущую). Обратите внимание, что в ней без всякой причины используется обратный порядок слов: глагол (только **to be,** модальный или **to do**) стоит перед подлежащим.

He is happy and so am I.

Mary can cook and so can Bob.

Dick gets up early and so do I.

Andrew went out and so did Jane.

Теперь двойное отрицание:

I wasn't happy about it and neither was Tom.

He never eats fish and neither do I.

Сделаем здесь два замечания. Слова **either, neither** и обороты, в которых они употребляются, знакомы всем, кто когда-либо изучал английский; но это не значит, что все научились их реально использовать. У многих, к сожалению, они попадают в разряд "привычного и непонятного". Эти слова и обороты абсолютно необходимы для того, чтобы овладеть языком; мы посвятили им далее отдельную главу, чтобы досконально в них разобраться.

Очень трудно также дается русскоязычным ученикам употребление **will** как слова-заместителя. Американцы же используют его повсеместно:

Call me tomorrow. - I will. - Позвони мне завтра. - Хорошо.

Как пример для запоминания - строчка из известной песни

Элвиса Пресли:

Oh, my darling, I love you and I always will.

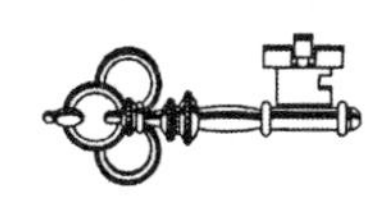

Глава 19

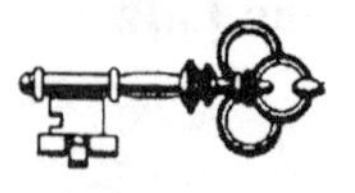

WHICH ONE IS YOURS?

(О личных местоимениях)

Английское название этой части речи **(pronoun)** как бы указывает на ее назначение - заменять существительное. Самая важная группа местоимений - личные **(personal pronouns**). Эта группа слов имеет дополнительную падежную форму, к счастью, всего одну - в отличие от русского (напр., **I - me**; я - мне, меня, мной).

Одна из задач начального этапа изучения языка - не только выучить эти короткие словечки, но и привыкнуть к ним, довести их употребление до автоматизма. Мы приведем здесь три замечания, которые, кстати, присутствует во многих американских учеб-никах :

1. Классическая конструкция употребления личных местоимений после глагола **to be** и в "парных" выражениях **(you and I)** теперь считается возвышенной и формальной. В реальной речи утвердился другой стереотип:

Who's there? - It's me. - Кто там? - Это я.

Who did that? - (It was) him. - Кто это сделал? - Он.

This is just between you and me. - Это только между нами.

Есть также две группы слов, на которых, в силу их похожести, иногда спотыкаются даже коренные американцы.

2. **It's - its. (it's -** сокращение от **it is** или **it has**):

It's possible that we'll be a little late. -

Возможно, что мы немного опоздаем.

I don't like this jacket; its color is horrible. -

Мне не нравится эта куртка - ее цвет ужасен.

3. **there - their - they're**

Is there anything to drink in this house? -

В этом доме есть что-нибудь выпить?

Here is their house. - Вот их дом.

Look at these guys; they're police officers. -

Посмотри на этих парней - они сотрудники полиции.

Итак, перед нами две группы местоимений (так сказать, "раскладка по лицам"):

1. - **I, you, he, she, it, we, you, they;**
2. - **me, you, him, her, it, us, you, them.**

Всего таких "наборов" в английском языке - пять. Третий из них **(my, your, his, her, its, our, your, their)** при изучении воспринимается легко; единственная трудность здесь - употребление **its,** когда речь идет о предметах (если вы говорите, к примеру, о рубашке, то "ее размер - **its size**"); все это знают, но в быстром разговоре иногда ошибка проскальзывает "по инерции". Надо также не забывать, что эти слова не заменяют существительное, а дополняют его (**my dog, his car, etc.).**

Эта группа слов тесно связана с еще одним набором местоимений (**mine, yours, his, hers, ours, theirs**). В русском языке таких слов нет вовсе, поэтому требуются усилия, чтобы привыкнуть к ним и начать ими пользоваться.

This is my room and that is yours.

Yours заменяет **your room** и ставится для того, чтобы не использовать второй раз одно и тоже существительное. В русском языке в этом случае существительное просто отбрасывается:

Это моя комната, а это - твоя.

В английском языке такое невозможно; слова **"my, your, etc."** никогда не могут стоять без существительного.

Чья это книга? - Моя. - **Whose book is it? - It's mine.**

I don't think your car is better than mine. -

Я не думаю, что ваша машина лучше, чем моя.

Their house is big and ours is small. -

Их дом большой, а наш - маленький.

Your luggage is here and where is hers? -

Ваш багаж здесь, а где ее?

This bag is yours, and not mine. - Этот пакет ваш, а не мой.

С другой стороны, в русском языке есть удобное слово- "свой", которого нет в английском.

May I borrow your pen? I've lost mine. -

Могу я взять вашу ручку? Я потерял свою.

Mary sold her house. - Мэри продала свой дом.

Кстати, если вглядеться, слово "свой" в русском ставится, когда подлежащее описывает того, кому принадлежит объект.

Итак, в английском языке есть два эквивалентных способа показать принадлежность объекта:

This is our car. - This car is ours.

Второй вариант звучит немного более торжественно; только в одном случае он является общепринятым: когда речь идет о дружбе, "**a friend or mine**" звучит чаще, чем "**my friend**".

He is an old friend of mine. - Он мой старый друг.

И наконец, последний набор местоимении - с суффиксом **-self** (**myself, yourself, himself, herself, itself, ourselves, yourselves, themselves**). Это единственный случай, когда проявляется различие между "ты " и "вы" (суффикс **-self** во множественном числе принимает форму **-selves**). Каждое из этих слов употребляется двояко:

1. Показывая, что субъект направляет действие на себя

(Reflexive Pronouns):

I cut myself. - Я порезался.

He washes himself in cold water. - Он умывается холодной водой.

She often speaks to herself. - Она часто разговаривает сама с собой.

This fact speaks for itself. - Этот факт говорит сам за себя.

Несколько подобных выражений употребляются как идиомы:

We really enjoyed ourselves. - Мы чудесно провели время.

Make yourself at home. - Чувствуйте себя как дома.

I did it all by myself. - Я все это сделал сам.

I'm all by myself in this house. -

Кроме меня в этом доме никого нет.

2. Добавляя эмоциональный акцент (**Emphatic Pronouns);** если такое слово отбросить, фраза не теряет смысла.

I saw it myself. - Я сам это видел.

We spoke to the president himself. -

Мы говорили с самим президентом.

The house itself is very old, but you don't feel that. -

Сам дом очень старый, но вы этого не чувствуете.

Приглядимся еще к слову "**self**", которое может быть и приставкой:

self-service - самообслуживание

self-employed person - человек, работающий на себя

self-addressed envelope - конверт, адресованный самому себе

self-made man - человек, добившийся всего сам.

self-portrait - автопортрет

self-esteem - самоуважение

self-taught or self-educated person - самоучка

Книги для самостоятельного изучения часто озаглавлены так:

Fast reading self-taught. - Самоучитель быстрого чтения.

Прилагательное "**selfish**" означает "эгоистичный":

He is a cruel, pitiless, selfish man. -

Он жестокий, безжалостный, эгоистичный человек.

All she ever thinks about is herself and her selfish interests. -

Она думает только о себе и своих корыстных интересах.

И, наконец, существительное **"self":**

He's been very sick - he looks a shadow of his self. -

Он был очень болен - от него осталась только тень.

Knowledge of self increases as one gets older. -

С возрастом человек лучше узнает самого себя.

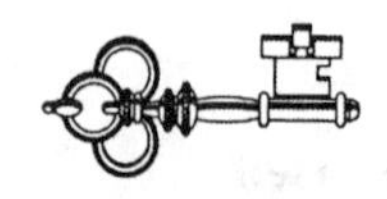

Глава 20

TIME WAITS FOR NO ONE

Сначала несколько каверзный вопрос. Вы спрашиваете приятеля : "У тебя есть что-нибудь выпить?" По-английски есть два возможных варианта:

Do you have anything to drink?

Do you have something to drink?

Какой из них правильный? Пока не торопитесь с ответом.

Давайте приглядимся к этой группе чрезвычайно важных и внешне однотипных слов. С грамматической точки зрения - это неопределенные местоимения, однако в данном случае термин никак не помогает. Лучший способ освоить эти слова - попытаться выявить систему в их построении.

Слова данной группы состоят из двух элементов, причем каждый из них произносится ударно. Первый элемент отражает количественную сторону (какая часть; все или не все) и имеет 4 варианта: два для утвердительных предложений и два, соответственно, - для вопросительных и отрицательных:

every - каждый, всякий (участвуют все возможные объекты);

some - некоторый (участвует часть объектов);

any - любой, какой-нибудь (часть объектов; употребляется в вопросительных и отрицательных предложениях);

no - никакой (не участвует ни один из объектов).

Второй элемент в этих словах говорит о природе объекта (предметы, люди и т.д.). Вариантов здесь немного больше, но для четырех из них нетрудно проследить соответствие с русским языком.

1) **thing** - описывает неживые объекты:

everything - все;

Everything is all right. - Все в порядке.

something - что-то; кое-что;

There is something funny in his face. -

В его лице есть что-то смешное.

anything - что-нибудь; что-либо;

Do you know anything about him? - Вы что-нибудь знаете о нем?

Did you say anything? - Вы что-то сказали?

nothing - ничего, ничто;

There nothing new in it. - В этом нет ничего нового.

I have nothing to do. - Мне нечего делать.

2) **body** - описывает людей. Важная практическая деталь - дословно эти слова означают "каждый человек, некоторый человек и т.д." и поэтому требуют глагола в 3-м лице единственного числа, что может не соответствовать русскому образцу:

everybody - все;

Everybody is here. - Все здесь.

Everybody likes music. - Музыку любят все.

somebody - кто-то; кое-кто;

Somebody is knocking at the door. - В дверь кто-то стучит.

anybody - кто-нибудь; кто-либо;

Is anybody here? - Здесь кто-нибудь есть?

Do you know anybody in this town? -

Вы знаете кого-нибудь в этом городе?

nobody - никто;

There is nobody in the room. - В комнате никого нет.

3) **one** - также описывает людей и, в общем, дублирует второй набор. Разницы почти нет; некоторые авторы считают, что слово с элементом **one** немного "тоньше и культурнее". Все слова переводятся также, при это слово **no one** пишется раздельно:

No one is home. - Дома никого нет.

Time waits for no one. - Время никого не ждет.

4) **where** - этому слову соответствуют два русских - "где и куда", поэтому при переводе этот набор "раздваивается":

everywhere - а) везде; во всех местах; б) повсюду; во все места;

He has friends everywhere. - У него всюду друзья.

She goes everywhere by train. - Она повсюду ездит поездом.

Вот рекламный лозунг кредитной карты:

Visa: it's everywhere you want to be. -

Виза - она всюду, где вы хотите быть.

somewhere - а) где-то; кое-где; б) куда-то; кое-куда;

Somewhere someone is crying. - Где-то кто-то плачет.

He went somewhere. - Он куда-то ушел.

anywhere - а) где-нибудь; где-либо; б) куда-нибудь; кто-либо;

Is there a doctor anywhere? - Где-нибудь есть врач?

Do you want to go anywhere? - Хотите куда-нибудь пойти?

nowhere - а) негде; нигде; б) некуда; никуда;

He has nowhere to live. - Ему негде жить.

He has nowhere to go. - Ему некуда пойти.

Американцы иногда заменяют **where** на **place (someplace, anyplace)**, но это считается нелитературным.

5) В русском языке есть еще один набор - с элементом "когда". В английском его придется "собирать по частям":

всегда - **always;**

He is always late. - Он всегда опаздывает.

когда-то, когда-нибудь - **some day, one day, sometime;**

Some day you'll understand this. - Когда-нибудь вы поймете это.

Слово **sometime** легко спутать с двумя другими словами:

some time - (пишется раздельно) означает "некоторое время";

I need some time to think. - Мне нужно время подумать.

sometimes - иногда (здесь **time** в значении "раз");

Sometimes I don't believe her. - Иногда я ей не верю.

ever - когда-нибудь; когда-либо;

Have you ever been to China? - Вы когда-нибудь были в Китае?

never - никогда

Never do this again. - Никогда больше этого не делай.

В английском языке есть еще несколько слов, включающих упомянутые элементы, но стоящих особняком:

somewhat - в некоторой степени; немного;

This film is somewhat strange. - Этот фильм несколько странный.

somehow - как-то; каким-то образом;

anyhow - как-нибудь; так или иначе;

Somehow I'll do it. - Тем или иным путем я это сделаю.

You won't be late anyhow. - Так или иначе, вы успеете.

everyday - повседневный (это прилагательное); если написать его раздельно - смысл изменится:

People use this device in everyday life. -

Люди используют этот прибор в быту (в повседневной жизни).

I see him every day. - Я вижу его каждый день.

anyway - в любом случае; независимо ни от чего;

I don't need help, but thanks anyway. -

Мне не нужна помощь, но все равно спасибо.

Это слово невероятно широко употребляется в живой речи; его значение при этом нелегко объяснить - оно возобновляет прерванный рассказ или завершает разговор:

It was a long story. Anyway, I got this job. -

Это - долгая история. В общем, я получил эту работу.

I'm tired. What do you want from me, anyway? -

Я устал. Чего ты хочешь от меня, в конце концов?

Вернемся к вопросу, заданному в начале главы. У каждого правила в языке могут быть исключения, надо быть к этому готовым. В вопросительных предложениях должны стоять слова с элементом **any**, но оказывается есть одно условие - вы не знаете, каким будет ответ. Если вы уверены в положительном ответе, употребляется слово **some** или его производные. Так что оба варианта возможны.

Рассмотрим такую фразу: "Мне кто-нибудь поможет?"

Will someone help me? - Это требовательный вопрос; вы уверены, что кто-то должен вам помочь.

Will anyone help me? - Этот вопрос - более грустный; вы не знаете ответа.

И напоследок, еще один пример, чтобы напомнить вам, как легко английские слова переходят из одной части речи в другую (здесь **nothing** - существительное):

She is an interesting person but her husband is a real nothing. - Она - интересный человек, а ее муж ровно ничего из себя не представляет.

Глава 21

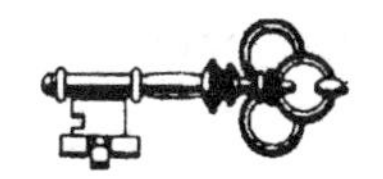

LET IT BE

Перед нами еще одно важное и непростое слово, имеющее к тому же отношение к грамматике - глагол **let (let,let)** - все три его формы совпадают:

1) - позволять, разрешать

Let me do it for you. -

Позвольте мне сделать это для вас.

Let me introduce my friend to you. -

Позвольте представить вам моего друга.

Let me give you one example. -

Позвольте мне привести один пример.

Let me explain why I'm here. -

Позвольте мне объяснить, почему я здесь.

Don't let him come here. - Не позволяйте ему приходить сюда.

Her father will not let her go to the bar. -

Ее отец не разрешит ей пойти в бар.

У данного значения **let** есть два синонима - **allow** и **permit,** которые часто употребляются в пассивном залоге. Из этих трех слов

let является самым разговорным, а **permit** - самым официальным.

You are not allowed to be here. -

Вам не разрешается находиться здесь.

Smoking is not permitted in this building. -

В этом здании не разрешается курить.

Обратите внимание на необычную особенность глагола **let** - глагол, стоящий после него в инфинитиве, теряет частицу to:

Let me go home. - Allow me to go home. -

Разрешите мне уйти домой.

2) **let** - сдавать жилье в аренду (синоним слова **rent**).

She has let her house furnished. -

Она сдала свой дом вместе с мебелью.

He wants to sublet his apartment. -

Он хочет "подсдать" свою квартиру.

Глагол **let** встречается во множестве разговорных оборотов:

to let somebody know - дать знать, сообщить

Let me know what happens. - Дайте мне знать, что происходит.

Let us know when you come back. -

Дайте нам знать, когда вернетесь.

Let him know your opinion. - Сообщите ему свое мнение.

Let me see! - Дайте подумать! (Так говорят, чтобы получить передышку в разговоре. Кстати, есть еще одно выражение - "**I see**" - так "поддакивают" в беседе. В таком контексте глагол "**see**" означает "думать, понимать").

to let go - отпускать

Let go of my hand! - Отпустите мою руку!

He let go of the rope and fell. - Он отпустил веревку и упал.

They held him for three days and then let him go. -

Они держали его три дня, а затем отпустили его.

to let in - впускать

Let him into the waiting room. - Впустите его в приемную.

to let out - выпускать

to let a bird out of a cage - выпустить птицу из клетки

to let the water out of a bathtub - выпустить воду из ванны

to let the air out of a tire - спускать шину

to let down - подводить

He let me down when I needed him most of all. -

Он подвел меня, когда я в нем больше всего нуждался.

Есть и другие сочетания глагола **let** с предлогами, но помимо этого, у него имеется и совершенно особая функция - образовывать непрямое повелительное наклонение. Давайте разберемся, что это значит.

Обычно повелительное предложение обращено к собеседникам (т.е. ко 2-му лицу) и выражает просьбу или приказание:

Come in, please. - Заходите, пожалуйста.

Get out of here! - Убирайтесь отсюда!

Как правило, подлежащее в нем отсутствует (поскольку понятно, кто является действствующим лицом), а смысловой глагол стоит в форме инфинитива без частицы **to**:

Be my friend. - Будь моим другом.

Never do this again! - Никогда больше этого не делай!

В редких случаях подлежащее все же присутствует:

Somebody come to the phone! -
Кто-нибудь, подойдите к телефону!

Бывают, однако, реплики (**suggestions** - т. е. пожелания или предложения), которые надо адресовать 1-му или 3-му лицу. Здесь и вступает в дело глагол **let.**

а) 1-е лицо - **let's** - давайте:

Let's come in. - Давайте войдем.

Let's get out of here. - Давайте выбираться отсюда.

Let's get down to business. - Давайте приступим к делу.

Let's get together sometime. - Давайте как-нибудь встретимся.

Let's have a bite. = Let's eat something. -
Давайте чего-нибудь перекусим.

Любопытно, что полная форма этого оборота (**let us**) может переводиться иначе, в соответствии с основным значением **let** - разрешать:

Let's go home now. - Давайте сейчас пойдем домой.

Let us go home now. - Разрешите нам сейчас пойти домой.

Интересно также, как образуется отрицание в повелительном наклонении:

(2-е лицо) **Don't be late.** - Не опаздывайте.

(1-е лицо) **Let's not be late.** - Давайте не будем опаздывать.

b) 3-е лицо - в русском языке есть особое слово "пусть":

Let her come in! - Пусть она войдет!

Let him wait. - Пусть он подождет.

Let him go. - Пусть уходит (отпустите его).

She'll kill you! - Let her try! - Она тебя убьет! - Пусть попробует!

Let them do what they want. - Пусть делают, что хотят.

Существует еще и возвышенный оттенок этой формы (по-русски "Да будет...!"):

Let it be! - Да будет так!

Let there be light! - Да будет свет!

И в завершение, несколько распространенных идиом и пословиц с глаголом **let:**

Live and let live. - Живи и жить давай другим.

Let sleeping dogs lie. - Не буди лихо... (дословно: пусть спящие собаки спокойно лежат).

Let bygones be bygones. - Что прошло, то прошло; не вороши прошлое (**bygones** - пережитое; прошлые обиды).

to let the cat out of the bag - раскрыть секрет (в давние времена стандартным трюком торговцев было выдавать кота в мешке за поросенка).

He lets no grass grow under his feet. - Он времени даром не теряет (дословно: не дает траве вырасти под ногами).

It's late and I'm tired. - OK, let's call it a day!

Сейчас поздно, и я устал. - Ладно, на сегодня все!

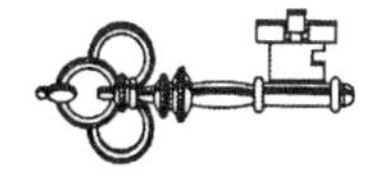

Глава 22

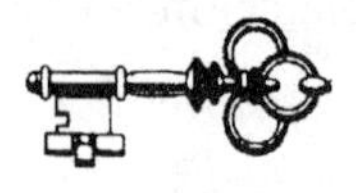

EITHER ONE IS FINE!

Сегодня мы поговорим об употреблении слова "**either"**, а также еще нескольких слов, которые с ним связаны. Слова эти всем знакомы и употребляются очень часто (во всяком случае, американцами). Однако, они имеют свои особенности, и для того, чтобы добиться ясности, с ними надо "повозиться". Сначала несколько вводных замечаний.

1) У слова **either** есть как бы "отрицательный двойник" - **neither,** но сферы их употребления, как мы увидим, не совпадают.

2) Оба эти слова имеют два варианта произношения, причем их часто приводят как пример отличия британского и американского произношения. Англичане произносят первый гласный звук как "ай", американцы - как длинное "и". На самом деле, если прислушаться, в Америке можно услышать и британский вариант. Мое субъективное впечатление: так говорят люди, желающие подчеркнуть интеллигентность своей речи.

Неожиданное подтверждение этому наблюдению я получил когда-то в студии звукозаписи. Я попросил актрису-американку прочитать один и тот же текст дважды: сначала медленно и понятно, а потом - быстро, в разговорном темпе. Сама того не замечая, она вначале произнесла это слово "по-британски", а потом -

"по-американски". Из этого следует практический вывод: вы можете пользоваться тем вариантом произношения этих слов, который привычен для вас (известно, что в России большинство учителей используют британский вариант).

Рассмотрим теперь первую конструкцию, в которой задествованы три слова, (а точнее - три коротких оборота):

both … and … - как …, так и …

either … or … - или …, или …

neither … nor … - ни …, ни …

You can drink both wine and beer. -

Вы можете пить как вино, так и пиво.

He is either sick or drunk - he behaves very strangely.

Он или болен, или пьян - он ведет себя очень странно.

Either come in or go out; don't stand in the doorway. -

Или входите, или выходите; не стойте в дверях.

She speaks neither German nor French. -

Она не говорит ни по-немецки, ни по-французски.

Слова **both** и **neither** часто употребляются в качестве односложного ответа на вопрос:

Do you sing or dance? - Both. -

Ты поешь или танцуешь? - И то, и другое.

Do you want to go to the park or to the movies? - Neither. -

Ты хочешь пойти в парк или в кино? - Ни то, ни другое.

Слово же **either** (которое здесь переводится "любой из двух") обычно требует более развернутого ответа:

Should I come on Tuesday or Friday? - Either day is OK. - Мне придти во вторник или в пятницу? - Любой из этих дней подойдет.

Сейчас небольшое отступление: известно, что существительное, которое уже встречалось в предыдущем предложении, часто заменяется словом **one** - вот образец:

Which car? - The one near you. -

Какая машина? - Та, что рядом с вами.

Поэтому данная конструкция со словом **one** становится как бы универсальной, и вследствие этого - очень употребительной; я бы назвал ее "палочкой-выручалочкой".

Either one is fine. - И то, и другое подходит. (И так, и так хорошо).

You have two options. Which one do you choose? -

Either one is fine. - У вас два варианта. Какой вы выбираете? - Меня устраивает любой из них.

Все три упомянутых слова **(both, either, neither)** могут употребляться как с предлогом **of,** так и без него, что создает некоторую путаницу. Смотрите: если перед существительным, которое характеризуется одним из приведенных слов, есть такие определители, как **the, these, those, my, your** и т.п. - нужен предлог **of:**

I like both of these pictures. - Both pictures are here.

Is either of the boys coming with us? - You can use either hand.

Neither of my sisters is married. - Neither book is good.

Но перед личными местоимениями ставится только форма с **of:**

Both of you are nice guys. - Вы оба - хорошие ребята.

Either of them can do it. - Любой из них может это сделать.

Neither of us likes music. - Ни один из нас не любит музыку.

Итак, подводим итог: первое значение **either** - любой (из двух).

В этом его отличие от слова **any** - любой (из многих).

You can go either way. -

Вы можете пойти и в ту, и в другую сторону.

You can take either glass - both of them are clean. -

Вы можете взять любой стакан - они оба чистые.

Здесь есть еще один нюанс: устойчивое словосочетание **"on either side"** на русский язык можно перевести только одним способом - "по обеим сторонам", но смысл здесь тот же.

There are trees on either side of the street. -

По обеим сторонам улицы растут деревья.

Теперь второе важное значение слова **"either** - тоже". Дело в том, что слову "тоже" в утвердительном смысле соответствуют несколько английских слов:

too, also, as well; а в отрицательном - только одно - **either.**

I'm hungry, too. - Я тоже голоден.

I'm not hungry, either. - Я тоже не голоден.

(Запятую, отделяющую эти слова, можно ставить, а можно и нет - выбираем то, что для нас нагляднее).

Mary can't swim. - I can't, either. - Я тоже не умею.

This is not my book. - It's not mine, either.- И не моя тоже.

У этого значения слова **"either"** есть своя сложность: оно используется в отрицательных предложениях и поэтому как бы уравнивается со словом **"neither".** Однако, употребляются они поразному; спутать их - явная ошибка. Как раз такие микропроблемы часто встречаются в тесте **TOEFL,** который определяет уровень владения английским языком, так что давайте не поленимся вникнуть в эту тонкость.

Neither является частью характерного оборота **"So do I. - Neither do I".** (И я тоже. - А я - нет.), который коротко дополняет предыдущее предложение. При этом глагол **to do** заменяет все другие глаголы, кроме сильных (напр. **to be, must, will**).

Mary likes music and so do I.

She doesn't smoke and neither does John.

Особенность этого оборота - в обратном порядке слов. Оборот со словом **either** полностью эквивалентен ему, но порядок слов - обычный. Так что надо выбирать один из них:

I don't know the answer, and neither does he.

I don't know the answer, and he doesn't, either.

Вариант со словом **either** - более живой, разговорный.

He won't come tomorrow, and I won't, either. -

Он не придет завтра, и я тоже (не приду).

В заключение еще раз хочу обратить ваше внимание на тот факт, что слово **either** является как бы индикатором естественной речи - англичане и американцы употребляют его очень часто, а изучающим язык оно дается с трудом. Поэтому стоит поработать над тем, чтобы включить его в свою речь.

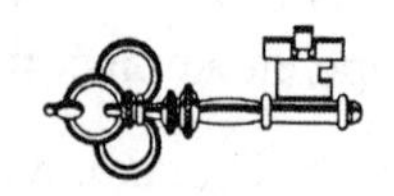

Глава 23

IT'S GONNA BE ALL RIGHT!

Тема, называемая в английских учебниках **Simple Future Tense** (простое будущее время) на самом деле весьма непроста. Тому есть две причины.

Первую из них можно назвать технической - данное время (иначе называемое **Future Indefinite Tense**) образуется при помощи особых вспомогательных глаголов **- shall** или **will**. Изначально, в британском варианте языка, **shall** употреблялся в первом лице, а **will** - во втором и третьем. **American English** упростил ситуацию, применяя **will** для любого лица:

I will (he will) do it tomorrow.

Однако и для **shall** остается место, хотя и не такое заметное. О соотношении глаголов **shall** и **will** и о том, когда они меняются местами, мы поговорим в следующей главе, чтобы не перегружать этот материал.

Глагол **will** очень часто сокращается в живой речи:

will = 'll; will not = won't.

I simply won't have time for it. -

У меня просто не будет времени для этого.

Заметим, что начинающие часто “спотыкаются”, путая второе из этих сокращений со словом **want**. Эти слова похожи только на первый взгляд; надо просто привыкнуть к ним.

В построении будущего времени есть одна тонкость, знание которой избавляет от многих ошибок. Рассмотрим для примера предложение:

Я буду петь. - **I will sing.**

И в русском и в английском после вспомогательного глагола стоит смысловой глагол в инфинитиве, однако в данном случае английский инфинитив лишен своего главного признака - частицы **to**. Почему? Дело в том, что **will** - это модальный глагол (так же как **can** или **must**) и он “отменяет” ее после себя. Казалось бы, какая разница - глагол в 1-й форме или в инфинитиве без частицы **to** - они ведь выглядят одинаково. Эта разница проявляется в двух случаях.

Во-первых это относится к глаголу **to be**:

There will be some work for you on Friday. -

В пятницу для вас будет кое-какая работа.

Во-вторых, модальные глаголы (возьмем опять же для примера **must** и **can**) своего инфинитива не имеют и, значит, в простом будущем времени они вообще стоять не могут. Их место занимают заместители - **have (to)** и **be able (to):**

You will have to stay at home. - Вы должны будете остаться дома.

Soon he will be able to read. - Скоро он сможет читать.

Есть только один способ сказать по-английски:

Я не смогу (сделать что-то). - **I won’t be able (to do something).**

I won’t be able to arrange this meeting. -

Я не смогу организовать эту встречу.

Will you be able to accept our invitation? -

Вы сможете принять наше приглашение?

В английском языке есть и другие способы выражения будущего времени - это вторая серьезная трудность для русскоязычных сту-дентов. Очень часто встречается оборот to **be going to** - его обычно переводят русскими словами "собираться, намереваться", однако это соответствие неполное. Посмотрите:

When are you going to pay this bill? -

Когда вы собираетесь оплатить этот счет?

Be careful, Bob! You're going to fall. -

Осторожнее, Боб! Ты (сейчас) упадешь.

Во втором случае Боб вовсе не собирается падать, однако действует тот же оборот. Дело осложняется тем, что есть еще и другие способы выражения будущего времени. Начнем с того, что попроще.

Фраза в настоящем времени также может сообщать о будущих событиях:

I'm leaving tomorrow. - Я уезжаю завтра.

The train leaves at 7 p.m. - Поезд отходит в 7 часов вечера.

Обратите внимание на любопытную деталь - в этом случае время **Present Continuous** употребляется, когда речь идет не просто о планах, а о конкретных приготовлениях, а **Present Indefinite** - только для расписаний (поездов, спектаклей, передач и т.д.):

What are you doing this weekend? -

Что вы делаете в эти выходные?

What time does the concert start? -

В какое время начинается концерт?

Оборот **to be going to** на самом деле тоже имеет два варианта:

1) эквивалент будущего времени:

I'm going to sell this car. - Я буду продавать эту машину.

2) наравне с другими глаголами в только что упомянутой конструкции:

I'm going to Boston next week. -

На следующей неделе я еду в Бостон.

Как подтверждение различия - в первом случае можно употребить разговорную форму **gonna (I'm gonna sell it.),** а во втором - нельзя.

А теперь самая сложная проблема - когда лучше использовать оборот **to be going to**, а когда простое будущее время с глаголом **will**? Однозначного ответа нет, нередко они "перекрываются", то есть можно сказать и так, и так. Попробуем описать различия.

Опять же, основных ситуаций две: когда человек говорит о себе (т.е. он что-то решил сделать) и когда он просто говорит о будущих событиях (т.е. как бы предсказывает их).

Для того, чтобы предсказать будущие события, используются обе конструкции. Иногда они идут одна за другой - **to be going to** подчеркивает намерение, а **will** перечисляет детали или комментирует их:

We're going to have dinner this Sunday. There'll be five of us. - Oh, that'll be nice. - Мы устраиваем обед в это воскресенье. Нас будет пятеро. - Это будет славно.

Но есть и другая идея, менее привычная для нас. **To be going to** показывает предопределенность событий, в то время как **will** просто констатирует факт:

Look at these clouds - it's going to rain soon. - Посмотри на эти облака - скоро будет дождь.

She's going to have a baby in May. - В мае она будет рожать.

Be careful! You're going to break this chair. - Осторожно! Ты сломаешь этот стул.

Я еще раз подчеркиваю - человек вовсе не собирается ломать стул; его действия предопределяют этот результат, как тучи - дождь, а беременность - роды. И еще один довольно тонкий момент: если оборот **to be going to** не называет конкретного времени, то подразумевается самое ближайшее будущее, в то время, как **will** тяготеет к более дальней перспективе.

Однако, когда мы говорим о планах, намерениях - ситуация меняется. Если решение о будущем действии принято заранее - употребляется **to be going to**; если решение принято на месте, спонтанно - употребляется **will**.

I left my wallet at home. - Don't worry, I'll lend you $20. - Я забыл дома бумажник. - Не беспокойся, я одолжу тебе 20 долларов. (Решение принято на месте). Позднее вы можете сказать:

I'm going to lend you the money. Do you still need it? - Я собираюсь занять тебе деньги. Они тебе еще нужны?

Вот еще примеры "мгновенной реакции":

Somebody's knocking at the door. - I'll open it.

This suitcase is very heavy. - I'll help you.

Where's my jacket? - I'll go (and) get it for you.

Есть типичный случай, когда употребляется только **will** - после вводных слов **I think, I'm sure, I expect, etc.:**

I think we'll see you tomorrow.

I'm sure it'll be all right.

Наконец, упомянем еще один оборот **- to be about to -** который указывает на самое ближайшее будущее:

The lesson is about to start. - Урок скоро начнется.

She is about to cry. - Она вот-вот заплачет.

Повторю в заключение, что оборот **to be going to** настолько популярен в живой речи,что для него выработалась особая форма-скороговорка - **gonna:**

Don't worry, it's gonna be all right! -

Не беспокойся, все будет в порядке!

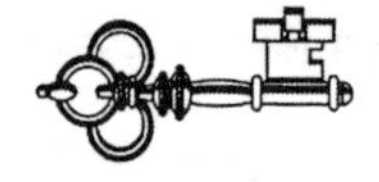

Глава 24

WHERE THERE'S A WILL...

Тему о будущем времени, рассмотренную нами в прошлой главе, необходимо дополнить материалом о других значениях глаголов **shall, will** и их форм прошедшего времени **should, would**. Эти слова в английском языке живут как бы в двух плоскостях - с одной стороны их грамматические функции, а с другой - их дополнительные значения, которыми "обросло" каждое из них.

Сначала поговорим еще немного о грамматике. Исходное, британское, правило образования будущего времени гласило: **shall** употребляется в 1-м лице **(I, we**), а **wil**l - во 2-м и 3-м. Все знают, что американцы на практике "не признают" это правило, употребляя **will** во всех лицах.

Однако, не забывайте, что у этого правила был еще один пункт: когда фраза выражает сильную эмоцию (решимость, приказ и т.д.), **shall** и **will** меняются местами. Многие образованные американцы и сегодня сохраняют этот оттенок в речи: **shall** может заменять **will** в любом лице, подчеркивая ответственность или решимость говорящего:

The enemy shall not pass! - Враг не пройдет!

I give you my word: the work shall be finished by Friday. -

Даю вам слово: работа (обязательно) будет закончена к пятнице.

Так, лозунгом поборников прав человека в 60-е годы стало:

We shall overcome! - Мы (обязательно) победим!

А теперь рассмотрим значения этих четырех слов, не связанные с их грамматической функцией.

WILL. - Прежде всего оно имеет очень важное значение как существительное:

1) **will** - воля, желание

He has a strong (weak) will. - У него сильная (слабая) воля.

He doesn't have the will power to give up smoking. -

У него не хватает силы воли, чтобы бросить курить.

She has lost the will to live. - Она потеряла волю к жизни.

You can come and go at will. -

Вы можете приходить и уходить по желанию.

God's will = the will of God - Божья воля

Один из оттенков этого значения выделяется особо:

will = last will - завещание

to make a will - составлять завещание

In his will, he didn't even mention Jim. -

В своем завещании он даже не упомянул Джима.

Посмотрите, как существительное в этом значении легко переходит в глагол, не меняя формы (мы ранее говорили, что это явление называется конверсией):

She willed the house to her son. - Она завещала дом своему сыну.

Итак, перед нами удивительное явление - два разных глагола **will**. Первый - модальный (и значит не имеет ни инфинитива, ни инговой формы), выполняет грамматическую функцию - одним словом, сильный глагол. Второй - самый обыкновенный, слабый глагол; его основное значение:

2) **will** - проявлять волю, желание

You can join us if you will. -

Вы можете присоединиться к нам, если пожелаете.

To will is not enough, you have to do something. -

Хотеть (одного желания) недостаточно, надо что-то сделать.

Другое, весьма интересное значение глагола **will** философски указывает на неизбежность события или сообщает общие истины:

Accidents will happen. -

Несчастный случай всегда может произойти.

Prices will go up. - Цены имеют обыкновение расти.

Boys will be boys. - Мальчишки остаются мальчишками (т.е. ведут себя соответственно).

Еще одно значение этого глагола переводится словом “способен”:

This car will seat 4 people. - Эта машина вмещает 4 человек.

Иногда “по инерции” эти значения переводят будущим временем, но лучше так не делать.

Я советую особо обратить внимание на употребление **-ing-** формы этого глагола:

She is willing to answer your questions. -

Она охотно ответит на ваши вопросы.

How much are you willing to pay? -

Сколько вы готовы (согласны) заплатить?

He is unwilling to talk to you. - Он не расположен говорить с вами.

God willing, there will be rain next week. -

Бог даст, на следующей неделе будет дождь.

He testified unwillingly. - Он неохотно давал показания.

3) **Will** во 2-м лице употребляется для выражения вежливой просьбы или приглашения:

Will you please sit down? - Присядьте, пожалуйста.

Will you have a cup of tea? - Можно вам предложить чашку чая?

Однако не забывайте, что вежливый характер такой фразы в первую очередь связан с интонацией, которая на бумаге передается вопросительным знаком. Посмотрите на первую фразу - ведь здесь нет никакого вопроса; а сейчас произнесем ее раздраженным тоном:

Will you please sit down! - Да сядьте же вы!

WOULD. 1) Еще большая степень вежливости; давайте сопоставим несколько вариантов "с нарастанием вежливости":

Open the window please.

Will you please open the window?

Won't you please open the window?

Would you please open the window? -

Будьте добры, откройте окно.

2) Всем известное и чрезвычайно употребимое выражение

I would like = I'd like - как более мягкий эквивалент слова **want**:

I'd like to sleep if you don't mind. -

Я бы хотел поспать, если вы не возражаете.

Небольшая деталь - этот оборот не имеет отрицательной формы:

Would you like to sleep? - No, I don't want to (sleep).

Еще один аналогичный оборот показывает предпочтение:

I would rather = I'd rather - я бы лучше

How about a drink? - I'd rather eat something. -

Как насчет выпивки? - Я бы лучше поел что-нибудь.

3) **would** - описывает привычное действие в прошлом (частичный эквивалент **оборота used to**):

We used to work in the same building. We would have lunch together. - Раньше мы работали в одном здании. Мы обычно вместе обедали.

4) **Would** имеет и грамматические функции - он задействован в правиле согласования времен и в так называемых условных предложениях - но сейчас мы об этом говорить не будем.

SHALL. Употребляется в вопросах, когда говорящий ожидает совета, указания, предлагает свои услуги:

Shall I wait for you? - Мне вас подождать?

Shall I bring you some tea? - Принести вам чаю?

Сравните:

What shall I do? - Что мне делать? (я жду указаний).

What will I do if…? -Что я буду делать, если…? (обычный вопрос).

В обиходной речи на этот нюанс часто не обращают внимания и вместо **shall** в подобных случаях употребляют **should**. Однако, в речи образованных людей он присутствует.

SHOULD. 1) Чаще всего это слово переводится как "следует, надо"; с его помощью дают советы, пожелания:

You should eat more fruit. - Вам следует есть больше фруктов.

At this age a child should be able to read. -

В этом возрасте ребенку надо уметь читать.

Those who live in glass houses should not throw stones. - (Посл.)

Тем, кто живет в стеклянных домах, не следует бросаться камнями.

(Очень полезно построить цепочку слов со значением "должен, следует" по степени обязательности - но это будет отдельная тема).

2) В сочетании с перфектной конструкцией **should** показывает, что совет не был выполнен (действие не реализовано):

He should have called the police. -

Ему надо было вызвать полицию.

You should have seen his face at the moment. -

Вам надо было видеть его лицо в тот момент.

3) Два полезных идиоматических оборота:

(What's his phone number?) -

How should I know? - Откуда мне знать?

(Give me the money.) - Why should I? - С какой стати?

Вот еще одна замечательная пословица, которая суммирует не только эту тему, но и многие жизненные рассуждения:

Where there's a will there's a way. -

При желании всего можно добиться.

Это литературный перевод, но мне кажется, он не все здесь передает. В данном случае я бы употребил слова попроще:

Было бы желание, а способ найдется.

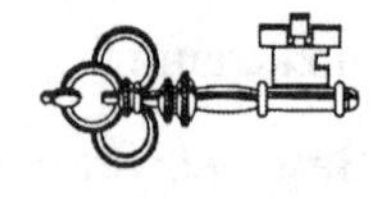

Глава 25

О ТРЕТЬЕЙ ФОРМЕ ГЛАГОЛА

Попробуйте перевести следущую фразу: **He was seen with her.**

Если бы мне предложили “моментально” определить, усвоил ли человек начальный уровень английской грамматики, я бы задал этот вопрос. Запомните свой ответ и мы двинемся дальше.

“Он побил многих мальчишек, но однажды и сам был побит.” Один и тот же русский глагол употреблен здесь сначала в активе, а потом в пассиве. Активный или пассивный залог характеризует направление действия: он бил или его били. Большинство ситуаций можно рассматривать с этих двух позиций, поэтому любое грамматическое время, как правило, имеет формы и активного и пассивного залогов.

Пассивный залог в английском языке образуется на основе третьей формы глагола (это одна из ее главных функций, о ней мы будем говорить в этой главе). Также на ее основе строятся времена группы **Perfect** (эта тема потребует отдельного разговора в другой раз). Но, кроме того, третья форма употребляется и самостоятельно - как причастие прошедшего времени **(Past Participle).**

При изучении языка эта последняя функция оказывается как бы “в тени” двух названных грамматических тем и часто остается незамеченной. На самом же деле - это одна из ключевых точек английской грамматики; **Past Participle** употребляется очень часто (а в научно-технической лексике просто на каждом шагу). Самое важное в нем то, что оно отражает пассивный характер действия; в русской грамматике это называлось страдательным причастием прошедшего времени:

done - сделанный (в отличие от "сделавший")

written - написанный

seen - увиденный

heard - услышанный

taken - взятый

Такое причастие, находясь перед существительным, служит определением:

a closed door - закрытая дверь;

a broken window - разбитое окно;

a recorded talk - записанный разговор.

Оно также может быть частью более развернутого оборота:

the work finished yesterday - работа, законченная вчера

a coin found under the table - монета, найденная под столом

road less traveled - дорога, по которой меньше ходили; "непротоптанный путь"

"Lost and found" - "Бюро находок" (потерянное и найденное)

Deeply shocked, he went out. - Глубоко потрясенный, он вышел.

Left by his wife, he lives alone in a big apartment. - Покинутый своей женой, он живет один в большой квартире.

К третьей форме могут "пристраиваться" многие существительные, например:

man-made materials -

сделанные человеком (т.е. искусственные) материалы

handmade bicycle - изготовленный вручную велосипед

sugar-coated pill - покрытая сахаром таблетка;

или несколько наречий (хорошо, плохо - качество действия):

well-known actor - хорошо известный актер

badly-built house - плохо построенный дом

half-done work - наполовину сделанная работа.

Отметьте, что ее "страдательный смысл" является "ключиком" к каждому такому выражению.

А теперь вернемся к пассивному залогу.

The house was built in 3 years. -

В русском языке этой фразе могут соответствовать три перевода:

а) Дом был построен за 3 года.

б) Дом строился 3 года.

в) Дом строили 3 года.

Повторим - общая идея пассива в том, что говорящего интересует не субъект действия, а его объект. В русском языке есть несколько возможностей выразить эту мысль, а в английском - только одна. Возможно, по этой причине в английском языке так часто используются пассивные конструкции, а на русский их нередко переводят другими оборотами (в основном, неопределенно-личным).

The boy was beaten. - Этого мальчика побили.

His car was stolen. - Его машину украли.

The game was lost. - Игра была проиграна.

Чтобы закрепить сказанное, сопоставим значение второй и третьей форм (у них разная направленность действия - актив и пассив).

He told me about you. - Он говорил мне о вас.

He was told to go home. - Ему сказали идти домой.

I spoke with him. - Я говорил с ним.

English is spoken in many countries. -
По-английски говорят во многих странах.

He saw her. - Он видел ее.

He was seen with her. - Его видели с ней.

Заметим, что предложение в пассивном залоге иногда сообщает, кто совершил действие, а иногда - нет:

Peter was praised for his work. - Питера похвалили за его работу.

Peter was praised by his teacher. - Питера похвалил учитель.

Предлог **by** показывает, кем было совершено действие, а **with -** чем:

This letter was written by Mark Twain. -
Это письмо было написано Марком Твеном.

This letter was written with a pencil. -
Это письмо было написано карандашом.

Интересно, что в некоторых ситуациях (например, на вывесках) пассивный залог выступает в “урезанном”, укороченном виде, но суть его остается неизменной:

Keys made. - (Здесь) изготовляются ключи.

Checks cashed. - (Здесь) обналичиваются ч**еки**.

Prescriptions filled. - (Здесь) выдаются лекарства, выписанные по рецепту (досл. - здесь наполняются рецепты).

Когда магазин приглашает на работу новых людей, он вывешивает табличку: **HELP WANTED** - требуется помощь; также озаглавлена и колонка объявлений о работе в газетах.

А вот рекламный лозунг фирмы Фольксваген:

Drivers wanted. - Требуются водители.

Однако, по отдельности лозунг **WANTED** не столь радужен и означает совсем другое - "разыскивается полицией":

He is wanted for robbery.- Полиция разыскивает его за ограбление.

Иногда третью форму глагола путают с **ing**-формой - это стандартная ошибка. Мы приведем три типичных примера:

The movie is exciting. - Этот фильм захватывающий (волнующий).

I'm so excited about it. - Я так взволнован этим.

You can take everything, including the dishes. -

Вы можете брать все, включая посуду.

Your bill is paid in full, everything is included. -

Ваш счет оплачен полностью, все включено.

И, наконец, последняя пара - **to be interesting - to be interested:**

Your idea is interesting, but I'm not interested in this job. -

Ваша идея интересна, но я не заинтересован в этой работе.

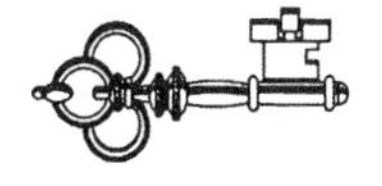

Глава 26

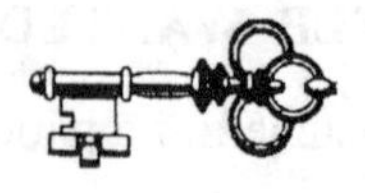

ТАК ЛИ ПРОСТЫ "ЗНАКОМЫЕ" СЛОВА?

Одним из барьеров, затрудняющих изучение английского языка на начальном этапе, является ожидание, что каждое слово будет иметь лишь один четкий перевод (напр. **a table** - стол). Казалось бы, это так естественно, надо только запомнить его, и больше никаких проблем. Увы, дело почти всегда обстоит намного сложнее.

Возьмем наш сверхпростой пример. Во-первых, русское и английское слово определяют понятие разной широты. **Table** обозначает только стол, за которым едят. Стол, за которым пишут или работают (в том числе и парта), называется **desk**. Во-вторых, **table** имеет и совсем другое значение - таблица (очевидно, что это слово так же, как и табель, русский язык заимствовал).

multiplication table - таблица умножения;

timetable - расписание (напр. поездов) ;

table of contents - оглавление (т.е. таблица содержания).

Так что, встретив новое слово, всегда надо быть готовым к сюрпризам. Конечно, одни английские слова представляют для нас больше трудностей, другие меньше. Иначе говоря, изучаемые слова бывают "легкие" и "трудные", и не надо бояться таких простых терминов. Они должны напомнить вам, что разные слова потребуют разного объема работы.

В дополнение к двум названным сложностям (многозначность слов и неполное совпадение значения с русским эквивалентом) есть еще одна, которую иначе как подвохом и не назовешь. Надо сказать, что языковые проблемы нередко поначалу выглядят "страшнее", чем они есть на самом деле. Но сейчас перед нами обратный случай - группа слов, производящих впечатление обманчивой легкости. Их так и называют в лингвистике: “**false friends -** ложные друзья переводчика.”

Рассмотрим сначала одно интересное слово: **list** - список. Это слово не имеет никакого отношения к русскому слову "лист", оно довольно простое, однако, чтобы пользоваться им, надо усвоить еще и предлог, в связке с которым оно чаще всего стоит:

to be first on the list - быть первым в списке;

Am I on your list? - Есть ли я в вашем списке?;

to be on the waiting list -

стоять "на очереди" (т.е. в символической очереди) ;

to make a list - составлять список;

the black list - черный список.

Путаница в данном случае усугубляется еще одним словом, столь актуальным для любого человека, недавно приехавшего в Америку:

lease - брать или сдавать в аренду (читается как русское “ли-ис”).

You can rent a car or lease it.

to rent - взять напрокат (например, на несколько дней);

to lease - взять в аренду (т.е. на длительный срок и с

определенными обязательствами).

Это слово может быть и существительным:

lease - 1) аренда; 2) договор об аренде.

На этом последнем значении многие и спотыкаются.

А как же быть с русским "листом"? Мы говорим сейчас о переводе английских слов и, казалось бы, не должны отвлекаться. Однако мысленные ассоциации, даже случайные, являются мощными подпорками для памяти, и от такой помощи не стоит отказываться.

leaf (мн.ч. **leaves)** - лист (дерева) ; лист (в книге).

The trees are in leaves. - Деревья покрыты листвой.

He is shaking like a leaf. - Он дрожит как (осиновый) лист.

The leaves on the trees change color in fall. -

Осенью листья меняют цвет.

to turn over the leaves - перелистывать страницы книги.

to turn over a new leaf - начать новую жизнь (с чистого листа).

She is going to turn a new leaf after this exam. -

Она собирается начать новую жизнь после этого экзамена.

sheet - 1) лист бумаги (не связанный с книгой); 2) простыня

a blank sheet of paper - чистый лист бумаги;

as white as a sheet - белый как полотно;

I can change the sheets on the bed, if you want. -

Если хотите, я могу переменить простыни.

Вот еще несколько слов, которые часто вводят в заблуждение,

to pretend - притворяться; делать вид; симулировать.

He pretends to be asleep. - Он делает вид, что спит.

Don't pay any attention to him - he is just pretending. -

Не обращай на него внимания - он просто притворяется.

претендовать - **to claim; to lay a claim to (something).**

to realize - ясно понимать, осознавать.

I realized that I was wrong. - Я понял, что был неправ.

реализовать - **to make it real; to realize** (2-е значение).

to report (2-е значение) - являться (лично).

All students must report to school on Monday. -

Все ученики должны явиться в школу в понедельник.

complexion - цвет лица.

dark complexion - смуглый цвет лица.

комплекция (телосложение) - **build; physique.**

Таким образом, если вам встретилось незнакомое слово, которое кажется знакомым, будьте начеку - оно может преподнести сюрпризы. Впоследствии мы приведем удивительные примеры таких "ловушек". А сейчас еще одно важное слово:

accurate - точный; верный

accurate translation - точный перевод

accurate spelling - правильное написание

accurate timing - точный расчет времени

No woman should ever be quite accurate about her age. (Oscar Wilde) - Женщине никогда не следует быть слишком точной в отношении своего возраста.

Теперь обратный перевод:

аккуратный - **neat, tidy; punctual** (о времени); **careful, thorough;**

аккуратная комната - **a neat room**

аккуратный работник **- a thorough worker.**

В 1969 году в Москве был издан специальный “Англо-русский словарь ложных друзей переводчика”. Он был ориентирован на британский вариант языка и написан в академической манере. Должен сказать, что подобный словарь, созданный в практическом ключе, был бы очень полезным для тех, кто осваивает язык в реальной жизни; но написать его трудно, т.к. здесь в один клубок сплетаются нюансы двух языков, а также жизненные реалии, которые зачастую весьма далеки друг от друга. В заключение приведу выдержку из одной статьи упомянутого словаря, которая живо мне напомнила атмосферу тех лет:

action - действие; работа; дело; поступок.

акция - (пай, вносимый в капиталистическое предприятие отдельными капиталистами или их объединениями) - **share.**

Глава 27

HOMEWORK OR HOUSEWORK?

Давайте поговорим о словах с близкими значениями, которые могут представлять трудности при переводе.

Много ошибок у начинающих вызывает русское слово "другой", поскольку английские слова **other** и **another** не являются синонимами, несмотря на их внешнее сходство.

1) **other** (перед существительными в любом числе) - другой; остальной

I want to go to the other store next time. -

В следующий раз я хочу пойти в другой магазин.

He is busy now; call him some other time. -

Он занят сейчас, позвони как-нибудь в другой раз.

There are some other people waiting for you. -

Вас ждут еще другие люди.

Where are the other students? - Где остальные студенты?

2) Если **other** употребляется без существительного, оно может присоединять **-s:**

One pen is red, the other is black. -

Одна ручка красная, другая - черная.

I don't like this lamp - do you have any others? -

Мне не нравится эта лампа - у вас есть другие?

Some people like it, others don't. -

Одним людям это нравится, другим - нет.

3) another - еще один; дополнительный

Do you want another cup of tea? - Хотите еще чашку чая?

Another two minutes and it'll be late. -

Еще две минуты - и будет поздно.

Вот пример, который четко иллюстрирует различие:

Bring me another chair. = Bring me one more chair. -

Принесите мне еще один (такой же) стул.

Bring me the other chair, this one is too small. -

Принесите мне другой стул, этот - слишком мал.

В то же время выражения **each other** и **one another** - синонимы:

It's natural for friends to help each other. -

Естественно, что друзья помогают друг другу.

After the match, the players shook hands with one another . -

После матча игроки пожали руки друг другу.

По строгим правилам первое из этих двух выражений следует употреблять, когда речь идет о двоих людях, а второй - о нескольких; но в реальной жизни на это различие не обращают внимания.

Еще один важный оборот:

every other - каждый второй; через один;

Our mailman comes every other day. -

Наш почтальон приходит через день.

Теперь разберем русские слова “деревня, город и дом”. Слово **country** имеет два основных значения. Первое из них - “страна” - сложностей не вызывает:

What country are you from? - Из какой вы страны?

Второе значение можно перевести как “сельская местность” и оно противоположно понятию “город”:

We go to the country for the summer. -
На лето мы уезжаем в деревню.

Важно не путать: **country** обозначает только обобщенную деревню; маленький населенный пункт называется **village,** а пригород - **suburb.**

country life - сельская жизнь
country music - музыка в стиле “кантри” (в “деревенском” стиле);
a country road - проселочная дорога
a country club - загородный клуб
a country house - загородный дом, дача.

Слову “город” соответствует два английских:

town - маленький город
What is the nearest town to your farm? -
Какой городок ближайший к вашей ферме?

city - большой город (интересно, что исторически различие проводилось не по величине, а по административной важности - в былые времена в **city** размещался архиепископ).

Traffic is a serious problem in large cities. -
Дорожное движение - серьезная проблема больших городов.

Вот название известного фильма Ч.Чаплина -

“City lights - Огни большого города”, причем по-русски это звучит намного романтичнее - сказывается дополнительный эпитет.

Отметим, что когда мы говорим о городе в широком смысле, то часто употребляется слово **town** (без артикля):

He lives in the country but he works in town. -

Он живет за городом, но работает в городе.

Last Friday I was out of town. -

В прошлую пятницу меня не было в городе.

Два английских слова **(house, home)** соответствуют русскому понятию “дом”:

house - строение, здание

I live in a five-story house. - Я живу в пятиэтажном доме.

He has an apartment in Manhattan and a house in the country. -

У него квартира в Манхэттене и дом за городом.

Слово **home** связано с понятием домашнего очага:

Make yourself at home! - Чувствуйте себя как дома!

This house is our home. - Вот в этом доме мы живем.

I do not feel at home in this huge house. -

Я не чувствую себя дома в этом огромном здании.

Boston is her home town. - Бостон - ее родной город.

to be homesick - тосковать по дому (по родине).

Английская пословица четко фиксирует различие между этими словами:

Men make houses, women make homes. -

Мужчины создают дома, а женщины - атмосферу в них.

В Америке реклама с выгодой использует теплоту слова **home** - его стали использовать для обозначения продаваемого жилья:

You can buy a home at a reasonable price. -

Вы можете купить дом по разумной цене.

Интересно, что русское слово "домашняя работа" имеет два значения:

housework - работа по дому (например, уборка);

homework - работа на дом; домашнее задание.

Приведем еще несколько словосочетаний:

household - люди, живушие под одной крышей; иногда это переводится "семья", а иногда - домашнее хозяйство".

She is the head of the household. - Она - глава семьи.

household goods - товары домашнего обихода;

household expenses - расходы по дому;

household name (household word) -

имя или название, известное в каждом доме:

In the 60-s the Beatles became a household name. -

В 60-е годы ансамбль Битлс приобрел всенародную известность.

housekeeping - ведение хозяйства; домоводство

housewife - домашняя хозяйка

housewarming - новоселье

house plant - комнатное растение

to be under house arrest - быть под домашним арестом.

Словосочетанию "уходить из дома" соответствует глагол **leave:**

When do you leave home in the morning? -

Когда вы уходите из дома по утрам?

He left home at the age of 16. -

Он оставил отчий дом, когда ему было 16.

Учреждения, предоставляющие услуги по уходу за детьми и престарелыми, называются словом **home:**

a children's home - детский дом

a nursing home - дом для престарелых.

Но как только элемент сочуствия уходит, меняется и перевод слова "дом":

madhouse - сумасшедший дом

I can't hear you, everyone is shouting; this is a madhouse. -

Я вас не слышу, все кричат; это просто сумасшедший дом.

И в заключение, занятная идиома:

on the house - за счет владельца

Our company is celebrating its fifth anniversary; the champagne is on the house. - Наша компания празднует свою пятую годовщину; шампанское - за счет фирмы.

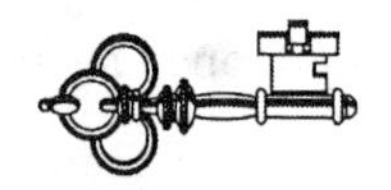

Глава 28

LIVE AND LEARN

Мы уже говорили о ситуации, когда близкие по смыслу слова в русском и английском языках имеют разный диапазон употребления. В этом случае одному русскому слову может соответствовать два и более английских и наоборот. При этом простое заучивание перевода слова явно недостаточно; для того, чтобы ввести слово в свой лексикон, надо шаг за шагом знакомиться с различными вариантами его употребления в английском языке.

Пословица **Live and learn** (век живи, век учись) здесь уместна вдвойне, так как мы сегодня будем говорить о глаголе "учить", которому соответствуют несколько английских слов:

learn - учить, обучаться;

study - учить, изучать; заниматься.

Слово **study** означает "изучать осознанно" (ср. штудировать):

to study biology - изучать биологию

We studied the map before we started. -

Мы изучили карту прежде, чем пуститься в дорогу.

I'm studying all the literature on this subject. -

Я изучаю всю литературу по этому вопросу.

В противовес этому **learn**

а) описывает процесс обучения в общем виде:

This child likes to learn. - Этот ребенок любит учиться.

Girls often learn better than boys. -

Девочки часто учатся лучше, чем мальчики.

It's never too late to learn. - Учиться никогда не поздно.

б) относится к навыкам, которые усваиваются путем подражания, скорее телом, движениями, а не только разумом (например, танец, езда на велосипеде и т.д.):

He is learning to swim. - Он учится плавать.

Ann can't learn how to drive. -

Энн никак не может научиться водить машину.

Вот еще две пословицы на эту тему:

Learn to walk before you run. - Научись ходить, прежде чем побежишь (т.е. учись постепенно, не хватайся сразу за большие дела).

If you keep company with the wolf, you will learn to howl. -

Поведешься с волком - научишься выть по-волчьи.

Есть несколько предлогов, которые устойчиво употребляются с этим глаголом; будьте внимательны - здесь явное несовпадение с русскими образцами:

to learn from mistakes - учиться на ошибках

I learn patience from my sister. - Я учусь терпению у своей сестры.

to learn by heart - учить наизусть

This song is very simple; you have to learn it by heart. -

Эта песня очень простая - вам надо выучить ее наизусть.

Родной язык учат в детстве тоже неосознанно, поэтому обычно говорят: **to learn English; to learn a foreign language.**

Однако взрослый человек может сказать о себе:

I study English. - Я изучаю английский.

Русскому слову “заниматься (учиться, т.е. осознанно усваивать знания)” соответствует **study:**

to study at school (at college, at the university) - опять следите за предлогами.

She is studying at Princeton. - Она учится в Принстоне.

He’s studying to be a doctor. - Он учится на доктора.

He’s been studying math all day. - Он весь день учил математику.

She studied very hard at school. -

В школе она очень много занималась.

Also, she had to study for many hours at home. -

Она также должна была заниматься по многу часов дома.

В отличие от глаголов **learn, study** , означающих “получать знания”, слово **teach** описывает обратный процесс - учить, преподавать:

Peter teaches chemistry at the university. -

Питер преподает химию в университете.

David taught me to swim. - Дэвид научил меня плавать.

She teaches for a living. -

Она зарабатывает на жизнь преподаванием.

Вот несколько употребительных идиом:

I’ll teach him a lesson. - Я его проучу.

Don’t teach a dog to bark. -

Не учи собаку лаять (т.е. не учи ученого).

To teach an iron to swim. -

Учить утюг плавать (т.е. заниматься безнадежным делом).

It's hard to teach an old dog new tricks. - Старого пса трудно научить новым фокусам (т.е. трудно переучиваться на старости лет). Эту поговорку можно часто услышать у американцев.

А теперь для лучшего усвоения переведем несколько фраз с русского на английский:

Где вы выучили русский? - **Where did you learn Russian?**

Учи - не учи, все равно толку мало. -

You can study more or less - anyway it doesn't make sense.

Когда кончите учить уроки, можем пойти гулять. -

When you finish doing your homework, we can go for a walk.

Она хорошо учится в школе. - **She is doing well at school.**

Доживешь до моих лет, тогда и учи других. -

When you live until my age, then you can teach others.

Для полноты картины рассмотрим существительные, соответствующие названным глаголам. Слово **study** имеет несколько значений - учеба; изучение; научная работа.

He published several studies in this field. -

Он опубликовал несколько работ в этой области.

This is the latest study regarding global warming. -

Это последнее исследование по поводу потепления климата.

Слово **student** в Америке относят к ученикам любого возраста:

Andrew teaches history in the seventh grade. His students love him. - Эндрю преподает историю в седьмом классе. Ученики его обожают.

Что еще более необычно для нас - слово **student** нередко встречается в роли определения:

a student teacher - учитель-практикант

a student driver - тот, кто учится водить машину

Слово **teaching** употребляется двояко:

1) как **-ing-** форма глагола:

teaching of English as a second language (ESL) - преподавание английского как второго языка

teaching aid - учебное пособие

teaching staff - штат учителей школы

2) как существительное (обычно во множественном числе) - учение:

the teachings of Darwin - учение Дарвина

Слово “учитель” знают все, а вот слова “самоучитель” в английском нет, вместо него используется оборот с III формой глагола:

French self-taught - самоучитель французского языка.

Вот еще одно выражение, которое часто встречается:

He learns quickly. = He is a quick learner. - Он способный ученик.

Надо заметить, что у глагола **learn** есть еще одно значение - узнавать (новости); он иногда употребляется без предлога, а иногда с предлогом **of** или **about** (его синоним - **find out**):

to learn the truth - узнать правду

They never learned of his affair with Barbara. - Они так и не узнали о его романе с Барбарой.

Давайте сравним две фразы, чтобы не ошибаться:

When did you learn Spanish? - Когда вы выучили испанский?

When did you learn about her wedding? -
Когда вы узнали о ее свадьбе?

И, наконец, слово **learning** - учение; обучение:

a child with learning disability - ребенок с нарушенной способностью к обучению (чрезвычайно распространенный здесь педагогический термин)

Learning doesn't come easily to him. - Учение дается ему нелегко.

There is no royal road to learning. -
В учении нет королевской дороги.

Последняя пословица звучит несколько высокопарно, но по сути это точно. И в заключение еще одно высказывание, которое мне кажется очень важным (рассматриваемые глаголы здесь стоят в пассиве):

Languages cannot be taught; they should be learned. -
Языкам нельзя научить - их нужно выучить.

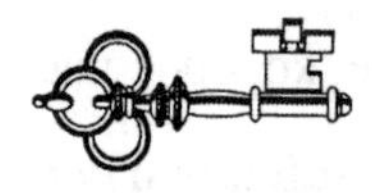

Глава 29

WHAT DID YOU SAY?

На этот раз мы обсудим, как переводить на английский два очень важных и, казалось бы, несложных русских слова “сказать и говорить”. Дело в том, что значения этих слов переплелись между собой, ну просто слова - клубок. Аналогичная группа слов в английском языке запутана еще сильнее. Логика здесь может помочь только частично, вступает в силу то, что называется **word usage** - сложившееся словоупотребление; мы можем лишь попробовать как-то систематизировать его для того, чтобы облегчить запоминание. Надо еще отметить, что неточное употребление этих слов очень типично для начинающих и, что называется, выдает их с головой.

Мы сейчас начнем разбираться с их английскими аналогами, коих набралось четыре: **speak, say, tell, talk.**

Первая пара: **speak, say** - произносить слова, говорить.

speak - (отражает сам факт речи, а не ее содержание).

Dogs cannot speak. - Собаки не могут говорить.

I can speak English. - Я могу говорить по-английски.

You’re a bad boy; I won’t speak to you. -

Ты плохой мальчик - я не буду с тобой разговаривать.

Speak louder! - Говорите громче.

say передает, что сказано (какие слова).

Don't forget to say "thank you". - Не забудь сказать "спасибо".

She didn't know what to say. - Она не знала, что сказать.

Вот ситуация: у больного что-то с челюстью, вы врач:

Try to speak! Say "yes". - Попробуй говорить! Скажи "да".

Прямую речь обычно передает глагол **say.**

"I am here," she says. - Я здесь, - говорит она.

"Look at me," she said. - Посмотри на меня, - сказала она.

Этот же глагол обычно передает и косвенную речь.

He says he wants to come with us. -

Он говорит, что хочет пойти с нами.

И, наконец, несколько оборотов, присущих только этому глаголу:

Say it again, please. - Скажи (повтори) это еще раз.

I said it to myself. - Я сказал это про себя.

I must say that you are wrong. - Должен сказать, что вы неправы.

That is to say. - То есть; другими словами.

In 5 days, that's to say, next Tuesday. -

Через 5 дней, то есть, в следующий вторник.

Choose a number - say, twelve. -

Выберите число - скажем, двенадцать.

Теперь вторая пара **(say, tell),** с ней связано наибольшее количество ошибок.

tell - сообщать (информацию), рассказывать,

Don't tell your mother about it. - Не говорите своей матери об этом.

You promised not to tell. -

Вы обещали не рассказывать (не болтать).

Вот пример, подчеркивающий различие:

I can tell you what she said. - Я могу сказать тебе, что она сказала (т.е. сообщить тебе, какие слова она произнесла).

Такие запутанные слова не укладываются в одно точное правило, однако, некоторые различия просматриваются четко: сказанные слова передаются только глаголом **say;** а команды - только **tell:**

He said, "Open the door." - He told me to open the door.

Do as you are told. - Делайте, как вам сказано (велено).

Кроме описанной выше разницы значений эти слова по-разному соединяются с последующим дополнением - в этом и есть причина бесконечных ошибок. Вот предельно упрощенный образец их употребления, который необходимо запомнить:

Say what? - Tell whom? - Говорить что? - Сказать кому?

She said that. She said that to me. She told me about it.

И еще: сочетание "сказать, что" всегда переводится **"say that",** а связка **"tell that"** невозможна. Еще один чисто практический совет: не употребляйте **tell** без последующего дополнения (кому?).

What did she say? What did she tell you?

What do you want to say? What do you want to tell him?

Давайте переведем несколько фраз с русского на английский.

Скажите мне, где вы живете. - **Tell me where you live.**

Он сказал несколько слов и вышел. -

He said a few words and went out.

Вы поняли, что он сказал? - **Did you understand what he said?**

Вы придете? - Трудно сказать. - **Are you coming? - It's hard to say.**

Никогда не говори "нет" начальнику. - **Never say "no" to your boss.**

Никогда не говори начальнику о ней.-**Never tell your boss about her.**

Я привожу так много примеров, стараясь "столкнуть" эти глаголы друг с другом, т.к. перед нами очень необычная ситуация: выбор глагола определяется тем, что стоит после него: сказать (говорить) кому? - **tell;** сказать (говорить) что? (или вообще без дополнения) - **say.**

Приведем несколько устойчивых оборотов с глаголом **tell:**

to tell the truth - говорить правду

to tell a lie - говорить неправду

to tell a joke - рассказать анекдот

When in doubt, tell the truth. (Mark Twain). -

Когда сомневаешься, говори правду.

to tell the difference - определять разницу; отличать

These boys are twins; how do you tell one from another? -

Эти мальчики - близнецы; как вы отличаете одного от другого?

May be he is right; time will tell. -

Возможно, он прав; время покажет.

Teach the child to tell time. - Научите ребенка пользоваться часами.

All told, 50 cars were sold. -

Общим счетом, было продано 50 машин.

I told you so! - Я же тебе говорил!

У этого глагола есть еще одно более необычное значение:

to tell on someone - жаловаться; ябедничать

Don't tell on your sister! - Не ябедничай на свою сестру!

I'll tell my mom on you. - Я пожалуюсь маме на тебя.

I won't tell on you. - Я тебя не выдам.

Мужайтесь, у нас еще остался четвертый глагол, и без него никак не обойтись.

talk - беседовать, разговаривать, общаться.

We can talk all day. - Мы можем говорить весь день.

When they start talking it's hard to stop them. -
Когда они начинают болтать, их трудно остановить.

Stop talking! - Перестаньте разговаривать!

Давайте проведем забавный тест, чтобы увидеть, как вы усвоили этот материал. Переведите 4 обиходные фразы, которые по-русски звучат однотипно (ответ на следующей странице):

1) Кто говорит? (Вы сняли телефонную трубку)

2) Что он говорит? (Вы просите перевода или объяснения)

3) Что он говорит тебе?

4) С кем он говорит?

Завершая наш разговор, отметим, что глагол **talk** часто выступает как существительное:

talk - разговор, беседа; **talks** - переговоры

baby talk - детский лепет

small talk - разговор о пустяках, на обыденные темы

It's just talk! - Это одни слова (пустой разговор)!

walkie-talkie - переносное переговорное устройство

talkathon = talk + marathon, т.е. марафон-говорильня, долгий публичный диспут.

И еще одно сочетание стало необычайно популярным в

Америке: **talk-show** - общая дискуссия по радио или телевидению.

Вдобавок глагол **talk** "застолбил" два конкретных выражения:

0 чем вы говорите? - **What are you talking about?**

Вам надо поговорить с вашим врачом. -

You should talk to your doctor.

В последнем выражении подразумевается "обсудить накопившиеся проблемы". В этом узком значении употребляется только **talk.** А в более общем смысле наравне с ним встречается глагол **speak:**

I want to speak to Mr. Clark. - Я хочу поговорить с м-ром Кларком (так обычно начинают разговор по телефону). Итак, в этой канонической фразе возможны два глагола (**speak, talk**) и два предлога (**with, to**), т.е. есть 4 равноправных варианта.

А вот ответ на наш микротест:

1) **Who is speaking?**

2) **What is he saying?**

3) **What is he telling you?**

4) **Who is he talking with?**

Трудные это для нас слова, но что делать. Говорить-то хочется. И так много надо сказать.

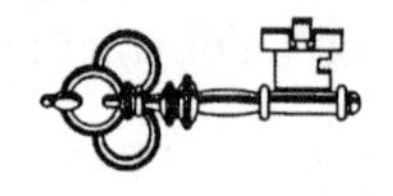

Глава 30

ДАВАЙТЕ БУДЕМ ВЕЖЛИВЫ!

Обиходные слова, выражающие приветствия, извинения и т.д., в силу своей обособленности стоят, казалось бы, вне всяких языковых правил. Английский язык, например, дает им одну явную грамматическую поблажку: восклицания могут обходиться без глагола.

What a nice evening!

Однако и эти несложные слова могут переходить из одной части речи в другую (т.е. образовывать словарные "семьи"), что приводит к расхождениям между русским и английским употреблением.

Едва ли не самое первое слово при изучении языка: спасибо - **thank you.** Однако у этих слов - разная широта значения; при этом **to thank** - обычный глагол, его надо согласовывать с подлежащим:

She thanks you. He thanked us for coming.

I'll thank you for some more tea. -Я бы непрочь еще чашечку чая.

Вот производные от этого слова:

thankful - благодарный

thankfulness - благодарность

thanksgiving - благодарение

thanks to - благодаря

Thanks to your help, I passed the exam. -

Благодаря вашей помощи я сдал экзамен.

Ближе всего к русскому "спасибо" стоит слово **"thanks"**:

Give him my thanks for his present. -

Передайте ему спасибо за его подарок.

We got no thanks for all our work. -

За всю нашу работу нам даже спасибо не сказали.

Давайте пройдемся по шкале благодарности:

Thanks. Thank you. Thanks a lot.

Thank you very much. = Thank you so much.

Thanks a million. - Огромное спасибо.

Thank you for everything. - Спасибо за все.

Thank you for all you've done. -

Благодарю за все, что вы сделали.

Еще разительней расхождение русского "пожалуйста" с английским **"please".**

(v) please - доставлять удовольствие

(n) pleasure - удовольствие

(a) pleasant - приятный

I play the violin to please myself. -

Я играю на скрипке для собственного удовольствия.

You cannot please everybody. - Всем не угодишь.

He is very pleased with his new car. -

Он очень доволен своей новой машиной.

He came in with a pleased expression on his face. -

Он вошел с довольным выражением на лице.

Когда **please** употребляется в обращении, оно несет оттенок просьбы и только в этом случае переводится как "пожалуйста":

Close the window, please. Please come in.

(Обратите внимание, что запятой это слово отделяется только в конце предложения). Однако, русское "пожалуйста" употребляется еще в двух ситуациях, которые не имеют отношения к просьбе, а следовательно и к слову **"please"**:

Give me the book. - Here you are.

Thank you. - You're welcome.

В этом случае можно еще сказать:

It was nothing. - Не о чем говорить.

Don't mention it. - Не стоит благодарности.

Но так говорят, когда речь идет о значимом поступке, а в обыденной ситуации (вы придержали дверь для кого-то) мы просто киваем в ответ. Для американцев же не ответить на любую благодарность - невежливо. Эта часть этикета обозначается словами **"Returning Thanks"** и содержит ряд непривычных для нас оборотов:

You're very welcome! My pleasure. The pleasure was mine.

Аналогично, слово **"sorry"** лишь частично соответствует русскому "извините". Вот его "словарная семья":

(v) to be sorry - сожалеть

(n) sorrow - печаль

(a) sorrowful - печальный

I'm sorry to say he is ill. -

К сожалению, должен сказать, что он болен.

I'm deeply sorry for her. - Мне ее глубоко жаль.

Sorry to hear that. - Огорчительно это слышать.

В ряду извинений разной степени выразительности **"sorry"** - самое неприхотливое. Приведем более весомые выражения:

Excuse me, please. - Извините, пожалуйста.

Pardon me. - Простите, пожалуйста.

I beg your pardon. - Простите, ради Бога.

I'm terribly sorry. - Я ужасно огорчен.

I offer my most sincere apologies. -

Я приношу самые искренние извинения.

Сказать **"I'm sorry"** или пробурчать на ходу **"sorry"** можно только после проступка, а остальные слова можно сказать и заранее, предваряя беспокойство.

Неформальность американских приветствий всем известна. Незнакомым людям говорят **"Hello"**, едва знакомым -**"Hi"**.

Hi! How are you? - Just fine.

Вот еще ряд выражений, соответствующих нашему "Как дела?":

How are things? How is everything? How is it going?

How have you been? - Как поживаете?

Часто встречаются также обороты типа "Что новенького?":

What's new? What's up? What's going on? What's happening?

Отвечать, как всем известно, здесь принято в бодром тоне:

I'm fine. Just great! Couldn't be better!

Бывают, конечно, и менее оптимистичные реплики:

So-so. - Так себе. **Could be worse.** - Могло быть хуже.

Getting by. - Понемножку. **Same as always.** - Как всегда.

Not great. Not so well. - Не так уж хорошо.

I've seen better days. - Бывали времена получше.

Kind of lousy. - Довольно-таки вшиво (это, конечно, неформальный оборот).

Фразы, которыми представляют людей друг другу:

Meet my friend Bob. I'd like you to meet Betty.

Mary, have you met Bill? - Мэри, вы знакомы с Биллом?

Ann, this is the man I've told you about. -

Энн, это тот человек, о котором я вам рассказывал.

Типичные ответы:

Nice to see you. Nice meeting you. - Рад вас видеть.

I'm pleased to meet you. - Рад с вами познакомиться.

I've heard so much about you. - Я о вас столько слышал.

I didn't catch your name. I'm terrible at names. -

Я не уловил ваше имя. Я очень плохо воспринимаю имена.

Собирательное обращение **guys** - ребята (**guy** - парень) настолько популярно, что стало применяться к людям любого пола:

Hello, guys! Come on in. -

Здравствуйте, ребята! Заходите, пожалуйста.

(**Come on in** звучит вежливее, чем **come in**).

Считается, что слово **"Good-bye"** образовалось.как сокращение от **"God be with you".** Более разговорные формы:

Bye-bye или **Bye, now!**

Есть, конечно, и группа выражений типа "Пока! До скорого!":

So long! See you soon!

Talk to you soon! See you later!

Последнее из них подростки часто используют в шуточной форме:

See you later, alligator!

Довольно распространенная форма прощания:

Take care (of yourself)! - Береги себя.

Крайне популярна еще одна американская "формула":

Have a nice trip (day, weekend, etc.)! -

Счастливого пути (и т.д.)! Счастливо!

Выражение **"Good luck (to you)"** употребляется обычно по более конкретному поводу, когда человеку предстоит какое-то испытание. А замечали ли вы, как русскоязычные люди упорно "поздравляют" американцев с праздниками,часто натыкаясь на удивленный взгляд? Здесь такого обычая нет; в таких случаях говорят просто:

Happy holiday! Happy New Year!,

поздравляют же с конкретными событиями:

Congratulations on the birth of your daughter!

(как всегда, будьте внимательны к предлогам).

Необычно переводится слово "Молодец!":

Good job! Good for you! Well done!

Kids! All of you did a great job today! -

Ребята! Вы все у меня сегодня молодцы!

Go ahead! означает разрешение сделать что-либо, высказан-ное в ободряющем тоне:

May I take your book? - Go ahead! -

Можно я возьму вашу книгу? - Пожалуйста!

Иногда можно услышать и противоположную реакцию:

Forget about it! Don't even think about it!-И думать забудь про это!

Save your breath! = Not in your wildest dreams! - И не мечтай!

Есть также важные идиомы, выражающие одобрение:

This is second to none. -

Лучше не бывает (досл. это не уступает ничему).

That's just what the doctor ordered. - То, что доктор прописал.

That suits me to a T. - Это подходит мне точь-в-точь.

(It gets) two thumbs up! - Высший класс! (эта идиома очень популярна в рекламе кинофильмов).

That's the greatest thing since sliced bread. -

Это лучшее, что было придумано после нарезанного хлеба.

Необычна для нас и очень важна "приставка" к вопросу: **How come .... -** Как получилось,(что)...

How come you are so late? - Как вышло, что вы так опоздали?

How come you don't know about her wedding? -

Как это ты не знаешь о ее свадьбе?

И в заключение еще одно приветствие - как заряд оптимизма:

Cheer up! Say cheese! - Веселее! Улыбнись!

Так в старину говорили фотографы. Кстати, это присловье удачно напоминает нам, как энергично американцы артикулируют звуки: долгий "и-и" должен выглядеть как улыбка.

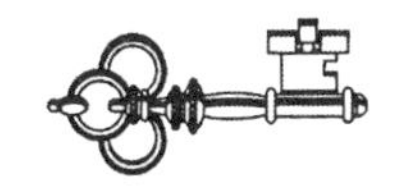

Глава 31

IT'S ABOUT TIME

Сегодня мы поговорим о выражения, связанных с понятием времени. Начнем с самого простого. Обычно, желая узнать, который час, мы задаем такой вопрос:

What is the time? или **What time is it now?**

Еще одно выражение, хотя и не слишком литературное, можно часто услышать в бытовой речи:

Do you have the time? - Не скажете время?

Если добавить подходящий глагол, этот оборот меняется - теперь он годится и для вполне официальной речи:

Do you have time to talk? - У вас есть время поговорить?

Общеизвестно, что есть два слова, обозначающие часы разного размера: **watch** - наручные или карманные;

clock - часы большего размера.

Встречаются, однако, и другие названия:

timepiece - хронометр; любые часы высокой точности

hourglass - песочные часы

stopwatch - секундомер

time clock - табельные часы, отмечающие время прихода сотрудников на работу

alarm clock - будильник.

Есть, оказывается и такое слово: **clock watch** - наручные часы с сигналом, а глагол **clock-watch** означает "поглядывать на часы". Отсюда **clock-watcher** - нерадивый работник, отбывающий время "от и до".

Интересно также слово **clockwork** - часовой механизм. Оно переходит в прилагательное, не меняя своей формы. Но переводится в этом случае иначе:

I want to buy a clockwork toy. - Я хочу купить заводную игрушку.

Это же слово является основой важной идиомы:

to work like clockwork - работать как часы

The subway in Vienna is running like clockwork. -

Метро в Вене работает как часы.

Составные части часов представлены вторыми значениями известных слов: циферблат - **face**

стрелка - **hand (minute hand, second hand).**

Направление движения по окружности обозначается такими словами:

clockwise - по часовой стрелке

counterclockwise - против часовой стрелки.

To open the door turn the key clockwise. -

Чтобы открыть дверь, поверните ключ по часовой стрелке.

Как правило, американцы пользуются только 12-часовым исчислением времени. Сокращения **a.m., p.m.** настолько вошли в обиход, что исходные латинские слова почти не упоминаются:

ante meridiem - до полудня (0 - 12 ч.)

post meridiem - после полудня (12 - 24 ч.)

He is going to catch the 6 p.m. bus to Albany. -

Он собирается успеть на 6-часовой автобус в Олбани. (Обратите внимание, что в этом случае слово **o'clock** ставить не нужно).

Показания минутной стрелки требуют предлогов **past; to;** в разговорной речи их могут заменять **after; before:**

He gets up at half past seven. - Он встает в половине восьмого.

What time is it by your watch? - It's ten to five. -

Сколько на ваших часах? - Без десяти пять.

В часах бывают неполадки:

Your watch is five minutes fast (10 minutes slow). -

Ваши часы спешат на пять минут (отстают на 10 минут).

My watch is not running. - Мои часы стоят. (Мы на минуту отвлечемся от темы, чтобы обратить ваше внимание на важный факт - когда речь идет о машинах в широком смысле (часы, поезда, лифты и т.д.) русское слово "ходить" переводится глаголом **run** - это источник стандартных ошибок для русскоговорящих).

Глагол **to time** означает "выбирать время; ставить часы":

He timed his watch by the time signal. -

Он поставил часы по сигналу точного времени.

Отсюда важные производные этого слова:

timely warning - своевременное предупреждение

timing - выбор времени

His speech was well-prepared but its timing was inappropriate. -

Его речь была хорошо подготовлена, но время для нее было выбрано неудачно.

Вот еше один оборот, касающийся времени, который употребляется в самых разных ситуациях:

It's time to... - Пора (делать что-либо).

It's time to go to bed. - Пора ложиться спать.

It's time for a change. - Пора что-то менять.

Еще одно очень популярное выражение:

It's about time. - Давно пора.

Our team won the cup yesterday. It's about time. -

Вчера наша команда завоевала кубок. Давно пора.

Очень важная тема - предлоги, связанные с понятием времени. Мы поговорим об этом более подробно в следующей главе, сейчас же выделим только один из них - самый употребительный и самый непривычный для нас - **at:**

at any time - в любое время

at the same time - в то же самое время; одновременно

at that time - в то время

At that time I didn't pay attention to his words. -

В то время я не обратил внимания на его слова.

А теперь сравните два внешне похожих оборота, которые переводятся совершенно по-разному:

at one time - когда-то; в одно время

one at a time - по одному; по одиночке; по очереди

At one time this song was very popular. -

Одно время эта песня была очень популярна.

А вот рекламный лозунг благотворительной организации:

We help 4 million people a year. One at a time. -

Мы помогаем 4 миллионам людей в год. Каждому в отдельности.

Или представьте себе детей, окруживших учителя с вопросами. Он говорит:

One at a time, kids! - По очереди, ребята!

Еще несколько полезных выражений:

from time to time - время от времени

time after time - раз за разом, часто

time and time again - неоднократно; много раз

for the time being - пока; до поры до времени

to have a good time - хорошо проводить время

to have a bad time - быть в трудном положении.

I had a bad time there. - Мне там пришлось нелегко.

Times are changing. - Времена меняются.

Time will tell. - Время покажет.

All in due time. - Все в свое время.

Вот несколько выражений, которые понять нетрудно, но звучат они все же непривычно для нас:

I'll do it in no time (in a moment; in a jiffy) -

Я сделаю это мигом, в момент.

He called me back in less than no time. -

Я глазом не успел моргнуть, как он уже перезвонил мне.

He is having the time of his life. - Он замечательно проводит время.

Теперь негативные высказывания:

He is pressed for time. - У него не хватает времени.

I have no time for nonsense like that. -

У меня нет времени на подобную чепуху.

Раз уж мы заговорили о негативных моментах, нелишне будет упомянуть, что **time** в неформальной речи означает еще “тюремный срок”:

Jim did time for holding up a bank. -

Джим отсидел срок за вооруженное ограбление банка.

И в заключение две интересные идиомы, показывающие что еще можно делать со временем:

to buy time - тянуть, выгадывать время

This treatment can buy time for the patient.

Это лечение может выгадать время для пациента.

to work against time -

работать, чтобы успеть к установленному сроку

We have only two days left, so we’re working against time. -

У нас осталось только два дня, поэтому у нас постоянный цейтнот.

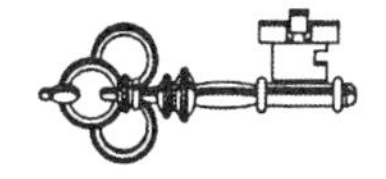

Глава 32

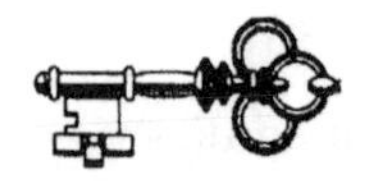

JUST IN TIME!

Мы продолжаем разговор о выражениях, связанных с понятием времени. Хорошо известно, что русскому слову "час" соответствуют два английских: **o'clock** (обозначающий показания часовой стрелки) и **hour** (интервал времени). Второе из этих слов заслуживает внимания. Начнем с оборота

At what hour do you open? = At what time do you open? -

С какого часа вы открыты? (например, в магазине).

visiting hours - часы приема посетителей (например, в больнице)

working hours - рабочие часы

You can find me here during regular working hours. -

Вы можете застать меня здесь в обычное рабочее время.

Однако, если вместо **during** поставить **for** - другой предлог времени, смысл меняется:

for hours = for a long time - в течение долгого времени

I've been waiting for hours. - Я прождал очень долго.

at all hours = at any time - в любое время

after hours - время после окончания рабочего дня

No wonder he is exhausted - he often works after hours. -

Не удивительно, что он измотан; он часто работает допоздна.

Следующему обороту, очень распространенному в Америке, нелегко подобрать соответствие в русском языке:

on the hour - ровно в данный час (т.е. в 2:00, 3:00 и т.д.)

on the half hour - в 2:30, 3:30 и т.д.

The bus departs every hour on the hour. -

Автобус отправляется каждый час в "ровное время".

Слову "сутки" нет соответствия в английском. Можно сказать **day and night** или **24 hours:**

I didn't eat all day and all night. - Я не ел целые сутки.

The trip takes forty-eight hours. - Поездка занимает двое суток.

Однако идиома "круглые сутки" имеет четкий перевод - **around the clock**:

Some stores in New York work around the clock. -

Некоторые магазины в Нью-Йорке работают круглые сутки.

Слово "**season**" означает "время года; сезон". Оно тоже не так просто - обратите внимание на его производные:

the four seasons - четыре времени года

Cherries are out of season now. - Сейчас не сезон для вишни.

Today's weather: sunny and unseasonably cold. -

Погода сегодня: солнечно и не по сезону холодно.

Глагол **season** имеет два удивительно непохожих значения:

1) добавлять приправу к пище; отсюда **seasoning -** приправа;

2) приучать; закалять

You should season your child to cold. -

Вы должны приучать ребенка к холоду (т.е. закалять его).

He is a seasoned traveler. - Он - закаленный путешественник.

Вот как выразился недавно один ведущий радиопередачи:

I'm a seasoned dotcomer. (Подразумевалось стандартное окончание **dotcom**, применяемое на интернетных адресах) -

- Я - "бывалый интернетчик".

Еще одно слово - **decade** - типичный пример "ложных друзей переводчика". Латинский корень (десять) здесь очевиден, однако русское слово "декада" означает "10 дней", а английское - "10 лет":

The 60-s are known as the decade of hippies. -

60-е годы известны как десятилетие хиппи.

Слово "век" в русском имеет два значения:

1)эпоха-**age; the Stone Age** -каменный век;**Middle Ages** -средние века

2) период протяженностью в 100 лет - **century** (обратите внимание, что столетия обозначаются не римскими цифрами, как в русском, а арабскими: **21st century** - XXI век).

Коротко напомним, что с разными интервалами времени употребляются разные предлоги:

часы - **at:** **at 3 o'clock sharp** - точно в 3 часа

дни - **on:** **on Sunday, on the Fourth of July, on July 4.**

Более продолжительные периоды времени (месяцы, времена года, годы и т.д.) требуют предлога **in:**

in April, in winter, in 1969, in the 70-s, in 20th century.

Когда речь идет о времени, русский предлог "через" переводится как **in:**

I'll be back in several minutes. - Я вернусь через несколько минут.

Однако похожий русский оборот, показывающий чередование, переводится иначе:

Я работаю через день. - **I work every other day.**

Выражение **in years** означает "многие годы":

for the first time in years - впервые за многие годы.

Два значения слова **time** - "время" и "раз" заставляют быть начеку, все время и каждый раз:

This time you are late. - На этот раз вы опоздали.

This time of year in New York is very hot. -

Это время года в Нью-Йорке очень жаркое.

Важно различать два оттенка слова "вовремя":

1) **on time** - точно по плану, расписанию

The meeting starts at 10, you have to be there on time. -

Собрание начинается в 10, вы должны быть там вовремя.

Вот реклама одной авиакомпании:

Our flights: on time, on the hour. -

Наши рейсы: точно по расписанию, каждый час в "ровное время".

2) **in time** - не слишком поздно; так, чтобы успеть

He came just in time for dinner. - Он пришел как раз к обеду.

Однако, будьте внимательны - выражение **in time** очень емкое, оно имеет еще и два других значения

а) в будущем, со временем

In time you'll get this information. -

Со временем вы получите эту информацию.

in time or slightly later - своевременно или немного позже

Everything in its time. - Все в свое время.

б) в нужном ритме, в такт

He was waving his hand in time to the music. -

Он помахивал рукой в такт музыке.

Теперь о нескольких глаголах, которые часто употребляются со словом **time:**

It takes a lot of time to build a house like this. -

Построить такой дом занимает много времени.

How long does it take to get to Atlanta? -

Сколько времени потребуется, чтобы добраться в Атланту?

They simply kill time by sitting here. -

Они просто убивают время, сидя здесь.

Don't waste your time talking to him - he is hopeless. -

Не трать время на разговоры с ним - он безнадежен.

Очень любопытно сопоставить два оборота:

to make time - успевать; передвигаться по графику

We have to be there at 7, and now it's only 6 - we are making good time. - Мы должны там быть в 7, а сейчас только 6 - мы вполне успеваем.

to do time - отбывать срок в тюрьме, его синоним - **to serve time.**

A person who does time for life is called a lifer. - Человек, который отбывает пожизненное заключение, называется (в Америке) "лайфер".

Упомянем еще одно прилагательное и два существительных:

timely - своевременный

This is a timely reminder that our company needs a new business plan. - Это своевременное напоминание о том, что нашей компании нужен новый бизнес-план.

timetable - расписание; его синоним - **schedule**

time-out - перерыв (это очень популярное и интересное слово). Имеется в виду перерыв в напряженной деятельности, обычно с каким-то переключением (например, в баскетболе, когда игроки собираются в кружок и выслушивают инструкции тренера).

In the middle of the working day he took time out to go to the gym. - В середине рабочего дня он сделал передышку, чтобы сходить в спортзал.

Вот еще пример русской фразы, где этот оттенок значения хорошо заметен: "несмотря на занятость он вырвался в театр". Не случайно, **Time Out** - это название журнала, сообщающего о спектаклях, концертах и т.д., который вы увидите на столе у любого театрала в Лондоне и Нью-Йорке.

Глагол **consume** - "потреблять" при описании времени аналогичен глаголу **take** - **"**отнимать время":

This work is time-consuming. = It takes a lot of time. -
Эта работа отнимает много времени.

Однако похожий оборот с глаголом **take** является очень популярной идиомой и имеет другое значение:

to take one's time - не спешить, делать что-либо без спешки

It's too early - take your time. - Еще слишком рано - не торопись.

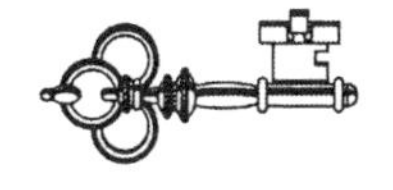

Глава 33

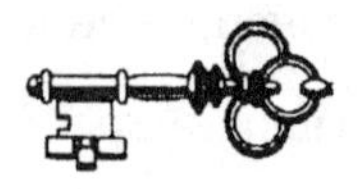

UNTIL NOW, SINCE THEN

Поговорим теперь о некоторых английских предлогах времени, которые не полностью согласуются со своими русскими аналогами.

Начнем с двух похожих слов - **till** и **until**. Эти слова означают абсолютно одно и то же, с одним небольшим отличием: **till** является более разговорным словом и не может стоять в официальных текстах. Сложность в другом - каждое из этих слов имеет два значения:

1) до (какого-то момента времени);

She works from early morning till noon. -

Она работает с раннего утра до полудня.

He often stays at work until midnight. -

Он часто остается на работе до полуночи.

You'll have to wait until tomorrow. -

Вам придется подождать до завтра.

2) пока не;

We looked at him till he was out of sight. -

Мы смотрели на него, пока он не скрылся из виду.

They worked until it got dark. -

Они работали, пока но стемнело.

Когда эти слова стоят в отрицательных предложениях, русский перевод может быть несколько иным:

The mailman will not come till Monday. -

Почтальон придет не раньше понедельника.

She didn't tell me about it until the next day. -

Она сказала мне об этом только на следующий день.

The show won't start until twelve. -

Спектакль начнется не раньше двенадцати.

Непривычно для нас звучат сочетания **until** с некоторыми словами:

until recently - до недавнего времени;

until now - до настоящего времени; до сих пор;

until then - до тех пор;

Until when are you going to stay here? -

До каких пор ты собираешься оставаться здесь?

А теперь постараемся разобрать те трудности, что возникают при переводе данных предлогов времени с русского на английский. Если мы рассматриваем какой-то период времени с начала и до гонца ("от ... до"), то есть два возможных варианта - "**from ...till**" и "**from ...to**":

from morning till night - с утра до ночи

Our working hours are from nine to five. -

Мы работаем с девяти до пяти.

Если же начало временного интервала не упомянуто, то можно употребить только **till (until):**

He will stay with us until next week. -

Он пробудет у нас до следующей недели.

Слово "**before - прежде**" имеет близкое,но все же иное значение:

Call me before noon. - позвоните мне до полудня, (в любой момент до этого временя, отвечает на вопрос "когда?").

Wait until noon. - Ждите до полудня. (Отсчитывается интервал времени, отвечает на вопрос "до каких пор?").

Когда мы говорим только о начале периода времени, то ключевым словом является "**since** - с тех пор, как; с;":

I've known her since 1982. - Я знаю ее с 1982 года.

I've known her since we were children. -

Я знаю ее с тех пор, как мы были детьми.

We haven't seen him since last summer. -

Мы не видели его с прошлого лета.

He hasn't met her since then. -

Он не встречал ее с того времени.

Как видите, слово "**since**" крепко связано со временем **Present Perfect.** В этом есть своя логика, но о ней будет речь во II томе. Русскому обороту "в течение" соответствуют два английских слова **for; during** - которые, однако, никогда не заменяют друг друга.

He worked here for two years. -

Он работал здесь в течение двух лет.

During the last year he traveled a lot. -

В течение последнего года он много путешествовал.

"**For**" отмеряет продолжительность интервала времени; "**during**" сообщает, что действие происходит в пределах указанного интервала (во время чего-то). Эти два слова - источник стандартных ошибок, поэтому я даю много примеров:

The lesson lasts for two hours. - Урок длится два часа.

During the lesson someone came into the classroom. -

Во время урока кто-то вошел в класс.

I'm going away for a week. - Я уезжаю на неделю.

During my trip I have to finish this work. -

Во время своей поездки я должен закончить эту работу.

I haven't seen him for a long time. -

Я не видел его в течение долгого времени.

You can reach me by phone during the day. -

Вы можете связаться со мной по телефону в дневное время.

I will remember it for the rest of my life. -

Я запомню это на всю оставшуюся жизнь.

He was in the hospital for one month during the war. -

Он был в госпитале в течение месяца во время войны.

Теперь сопоставим предлоги "до", "во время" и "после":

before the meal - до еды; перед едой

after the meal - после еды.

Мы уже знаем, как сказать "во время еды" - **during the meal.** Однако, здесь есть одна тонкость: слово "**during**" может стоять только перед существительным, а перед глагольной формой употребляется другое слово - **while** - в то время, как; пока:

Don't talk while you are eating. - Не разговаривайте за едой.

Talk to him while he is here. - Поговорите с ним, пока он здесь.

He fell asleep while reading the book. - Он заснул, читая книгу.

У слова "**while**" есть еще одно значение (это существительное) - "небольшой промежуток времени"; в русском языке такого нет.

He was silent for a while. -

В течение некоторого времени он молчал.

Where's Susan? - She stepped out for a while. -

Где Сьюзан? - Она вышла ненадолго.

She came back after a short while. - Она скоро вернулась.

Wait a little while! - Подожди немножко!

I see him once in a while. - Я вижусь с ним время от времени.

А теперь, чтобы закрепить употребление предлогов времени, составим небольшой "хронологический" рассказ:

I lived in Moscow from 1975 to 1990.

I stayed in Russia until 1990.

I came to the United States in 1990.

I have lived in New York since 1990.

I have been here for ten years.

During this period I saw a lot.

И в завершение - красочная идиома, описывающая процесс, которому нет конца: **till hell freezes over** - пока не замерзнет преисподпяя, т.е. до бесконечности;

He won't call you - you can wait till hell freezes over. -

Он не позвонит тебе; ты можешь ждать "до посинения".

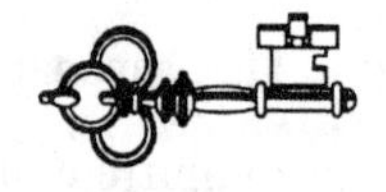

Глава 34

WHAT IS THE WEATHER LIKE TODAY?

Сейчас мы поговорим об особенностях употребления двух всем известных слов, имеющих вторые значения. Начнем с прилагательного "**like** - подобный, похожий":

They are like as two peas (in a pod). - Они похожи как две капли воды (досл. как две горошины (в стручке).

He is good at swimming, diving and like sports. -
Он силен в плаваньи, прыжках в воду и подобных видах спорта.

Like father, like son. (Посл.) -
Каков отец, таков и сын (яблоко от яблони недалеко падает).

She didn't call me at all; it's not like her. -
Она вообще не позвонила мне; это непохоже на нее.

It's unlike him to be late; he is usually on time. -
Опаздывать - непохоже на него, обычно он приходит вовремя.

Часто "**like**" переводится на русский словом "как"; в этом случае оно бывает либо предлогом либо союзом. Разбираться в этих деталях необязательно - важно зафиксировать в памяти образцы употребления:

Like his brother, he is very tall. - Как и его брат, он очень высок.

Unlike his brother, he is very young. -
В отличие от своего брата, он очень молод.

There is no place like home. (Посл.) - Нет места, подобного дому.

This is just like old times - people trust each other. -
Точно как в старые времена - люди доверяют друг другу.

It's a bit like going to the dentist - first you fear, and then you laugh. - Это немного похоже на визит к зубному (врачу) - сначала вы боитесь, а потом смеетесь.

Очень употребителен оборот "**like this = like that** - такой; такого типа; так":

Don't talk to me like that! - Не разговаривай со мной так!

A friend like this is a real treasure. - Такой друг - настоящее сокровище.

Близкий оборот - **anything/something/nothing like that**:

He is writing an article on wild animals or something like that. -
Он пишет статью о диких животных или что-то вроде этого.

I need a green floor lamp. - We have nothing like that. -
Мне нужен зеленый торшер. - У нас нет ничего такого (похожего).

Еще один важный оборот со словом "**like**" :

to feel like doing something - быть не прочь (сделать что-то);

I feel like watching a movie. - Я не прочь посмотреть кино.

I don't feel like swimming. - Мне не хочется плавать.

Когда мы говорим о слове "**like**" в значении "как", надо помнить, что оно никогда не дублирует вопросительное "**how**", зато весьма близко стоит к слову "**as** - как". Здесь надо быть внимательным, т.к. русский язык зачастую не различает таких оттенков:

as - в качестве (человек реально является кем-то);

like - подобно (употребляется для сравнения).

As his brother, I have to know it. -

Как его брат, я должен это знать.

Like his brother, you sleep late. - Как его брат, вы поздно спите.

She works as a model. - Она работает манекенщицей.

She dresses like a model. - Она одевается как манекенщица.

В употреблении слов **as** и **like** есть еще одно различие - **as** ставится перед целой фразой (т.е. там, где присутствует глагол), а **like** - перед существительным или местоимением:

Do as I said. - Делай, как я сказал.

Do it like me. - Делай, как я.

Иногда в разговорной речи **"like"** нарушает эту картину и становится "не на свое место" (т.е. перед глаголом), но это считается нелитературным; однако, перед небольшой группой глаголов **(verbs of speaking and knowing)** **"like"** не ставится никогда. Их удобно запоминать, как группу однотипных выражений со словом **"as":**

as you know - как вы знаете

as I said before - как я уже говорил

as we expected - как мы и ожидали.

В разговорной речи у слова **"like"** есть еще одно значение - "как будто" (более формальный синоним - **as if**) :

He acted like he was afraid. - Он вел себя, как будто был испуган.

You were there! - Like I wanted to be there! -

Ты был там! - Как будто я хотел быть там!

Есть целая группа сравнительных оборотов, где используются слова **as** и **like;** здесь они "разделили работу" по другому принципу:

А) **as** - сравнивает прилагательные с неким образцом;

as cold as ice - холодный как лед

as light as a feather - легкий как перышко

as quiet as a mouse - тихий как мышь

Б) **like** - сравнивает глагольные обороты с образцом;

to swim like a fish - плавать как рыба

to sleep like a log - спать как убитый (досл. как бревно).

Еще один существенный момент: когда слово **"like"** является предлогом, при построении вопросов оно (как и другие предлоги) может оказаться в конце предложения. Приведенные здесь примеры очень важны с практической точки зрения; например, пресловутая фраза "Какая сегодня погода?" звучит для нас крайне непривычно (поэтому она и вынесена в заголовок).

What does he look like? - Как он выглядит?

What is he like? - Что он собой представляет? (Что он за человек?)

What was the weather like when you were there? -

Какая была погода, когда вы были там?

We went to this restaurant yesterday. - Really? What was it like? -

Мы ходили вчера в этот ресторан. - Да? Ну и как он?

Я, надеюсь, никого уже не удивлю, сказав, что **"like"** может быть и существительным:

They sell books, magazines, and the like. -

Они продают книги, журналы и тому подобное.

Homeopathic treatment is based on the "like cures like" principle. -

Гомеопатическое лечение основано на принципе "подобное излечивает подобное".

I know well his likes and dislikes. -

Я хорошо знаю его симпатии и антипатии.

Что же касается глагола **"like",** заметим лишь, что иногда он переводится словом "хотеть":

After all, do as you like! - В конце концов, делайте.как хотите!

Ask any questions you like. - Задавайте какие-угодно вопросы.

Stay here! - As you like, boss! -

Оставайтесь здесь! - Как хотите (как скажете), начальник!

Слово **"like"** (в качестве предлога) является частью "многослойной" конструкции, описывающей ощущения органов чувств. В ней употребляются глаголы **sound, smell, taste, feel,** но чаще всего встречается глагол

look (также во втором значении) - выглядеть:

She looks like a baby. - Она выглядит как ребенок.

It sounds like a violin. - По звучанию похоже на скрипку.

The wall feels like clay. - Стена на ощупь похожа на глину.

Обратите внимание, **"look"** здесь может пониматься очень широко, как указание на возможное событие:

It looks like he won't come. - Похоже, что он не придет.

Давнишняя английская карикатура обыграла эту конструкцию:

Официант (глядя в окно): **It looks like rain.** - Похоже на дождь.

Посетитель (пробуя суп): **It tastes like rain, too.** - По вкусу тоже.

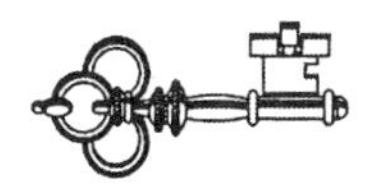

Глава 35

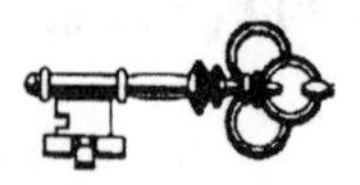

I'M GOING YOUR WAY!

Нам пора поговорить о слове **"way",** которое лишь поначалу кажется совсем простым тем, кто приступает к изучению языка. Это одно из фундаментальных слов английской лексики.

way - 1) путь, дорога

I'm going your way. - Мне с вами по пути.

Can you show me the way to the airport? -

Вы можете показать мне дорогу в аэропорт?

Do you know the shortest way to the sea? -

Вы знаете кратчайший путь к морю?

I spoke to him on my way home. -

Я говорил с ним по дороге домой.

He got lost on his way here. -

Я заблудился по дороге сюда.

We lost our way. - Мы сбились с пути.

He slept all the way. - Он спал всю дорогу.

I'll walk part of the way home with you. -

Я пройду с вами часть дороги домой.

way in - вход

way out - выход (и в прямом и в переносном смысле)

Is there another way out of this building? -

Есть ли другой выход из этого здания?

I can see no way out for us. - Я не вижу выхода для нас.

2) путь, расстояние

a long way from here - далеко отсюда

You have a long way to go. - Вам еще далеко ехать.

to come a long way -

а) проделать большой путь; б) многого добиться;

He has come a long way in his work. -

Он далеко продвинулся в своей работе.

3) направление, сторона

Which way is Broadway? - В какой стороне Бродвей?

Which way are you going? - Вам в какую сторону?

Which way is the wind blowing? - В какую сторону дует ветер?

Look this way. - Посмотри в эту сторону.

This way, please. - Сюда, пожалуйста.

wrong way - неправильное направление

This is a one-way street. - Это улица с односторонним движением.

Далее идет группа более сложных значений.

4) образ, манера, способ

American way of life - американский образ жизни

In what way can I get this information? -

Каким образом я могу раздобыть эту информацию?

One way or another, you'll find him. -

Тем или иным способом вы его найдете.

There are different ways of doing this work. -

Эту работу можно делать по-разному.

There is no other way to do it. - Это нельзя сделать иначе.

She spoke with me in a friendly way. -

Она говорила со мной по-дружески.

No way! - Никоим образом! (Так не пойдет!)

Dad, I wanna go to the movies. - No way! -

Папа, я хочу пойти в кино. - Ни за что!

5) отношение (один из аспектов проблемы)

In a way, you are right. - В некотором отношении вы правы.

In many ways, he is a brilliant person. -

Во многих отношениях он блестящий человек.

This was wrong in every way. -

Это было неправильно во всех отношениях.

Самое необычное для нас и очень распространенное употребление:

6) то, как что-то происходит; так; (значение "манера, образ" просматривается здесь, но на русский чаще всего не переводится):

I like the way you dance. -

Мне нравится, как вы танцуете.

I don't like the way you treat me. -

Мне не нравится, как вы со мной обращаетесь.

This is the way to do it. - Делать это нужно именно так.

Decent people don't act that way. -

Приличные люди так не поступают.

He wants to do it his own way. - Он хочет делать это по-своему.

Do it any way you like. - Делайте, как вам нравится.

Have it your way. - Пусть будет по-вашему.

The coffee is hot, just the way I like it. -

Кофе горячий, как раз так, как я люблю.

That's the way it works. - Вот так оно работает.

That's the way it goes. - Так уж повелось; так оно идет.

И как самый сложный пример - название популярного американского кинофильма и песни из него, которую поет Барбара Стрейзанд:

The way we were. - Какими мы были.

Приведем еще несколько "независимых" выражений с этим словом:

by the way - кстати; между прочим

Just the other way around! - Как раз наоборот!

to get in the way - становиться на пути; мешать

This nasty boy always gets in the way. -

Этот скверный мальчишка вечно путается под ногами.

Her illness got in the way of her studies. -

Ее болезнь помешала ее учебе.

Get out of the way! - Отойдите с дороги!

to get under way - начинаться (исходно это морской термин - отплывать; **way** здесь означает "движение вперед; ход судна").

Вот пример газетного заголовка:

The 0-J trial finally gets under way. -

Суд над 0-Джей (Симпсоном) наконец начинается.

His work is well under way. - Его работа неплохо продвинулась.

to make way - уступать дорогу

The people made way for the old man. -

Люди уступили дорогу старику.

Однако: **to make one's way** - пробираться

He made his way through the crowd.- Он пробрался через толпу.

to have a way with - уметь обращаться, ладить (с кем-то)

She has a way with kids. - У нее есть подход к детям.

to come one's way - попасться на пути; встретиться

This is the best example that has come my way. -

Это лучший пример, который мне попался.

Интересно сравнить два выражения: **"on the way"** (оно уже встречалось в этом занятии) и **"along the way"** (по-русски, соответственно: "по дороге" и "по ходу"):

We had some problems along the way. -

У нас возникли некоторые проблемы по ходу дела.

И, наконец, последнее значение, которое встречается только в американском варианте языка: **"way"** усиливает стоящее за ним слово и переводится на русский как "далеко; намного".

They are ahead of us, way ahead. -

Они впереди нас, далеко впереди.

I feel way better today. - Сегодня я чувствую себя намного лучше.

You pay him way more than he deserves. -

Вы платите ему намного больше, чем он заслуживает.

Я обратил внимание, что слово **"way"** очень часто встречается в различных рекламах; это неудивительно - оно многозначно и выразительно:

We're going your way! - Нам с вами по пути! (рекламный лозунг Транспортного Управления Большого Нью-Йорка).

The world's best way to travel. - Лучший в мире способ

путешествовать (компания **Visa**).

A new way of seeing things. - Новый способ взглянуть на вещи (реклама фотопленки **Kodak**).

The way the world works. - Так устроен (работает) мир (компания **FedEx**).

You've come a long way, babe. - Ты многого добилась, малышка (это известная реклама женских сигарет, которая обыгрывает два значения данного выражения).

Еще одно забавное наблюдение: есть два весьма популярных идиоматических выражения на тему непредсказуемости происходящего:

That's the way the cookie crumbles.

That's the way the ball bounces.

(Дословно это означает: так крошится пирожное; так отскакивает мячик), мы в таких случаях пожимаем плечами и говорим:
"Так устроена жизнь".

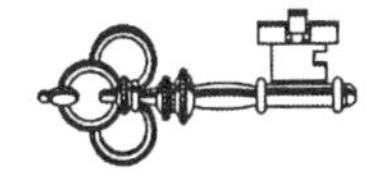

Глава 36

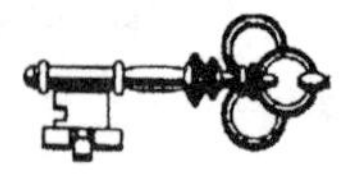

WHAT'S ON YOUR MIND?

Сейчас я хочу поговорить о словах, описывающих человеческие качества, и о тех расхождениях, которые, как всегда, обнаруживаются в двух языках.

Начнем с того, как окликают незнакомых людей. Вежливые формы обращения традиционны:

Sir!; Madam! (Укороченно произносится "мэм"); **Miss!**

Если же вы захотите послушать подростков, то рискуете услышать другие выражения:

Hey, man! - Эй, мужик! (или)

Hi, babe! - Привет, малышка!

На молодежный слэнг мы отвлекаться не будем, а вот во "взрослой" речи за последние годы произошли интересные изменения. На письме перед женским именем теперь используется не два, а три слова:

Mrs. (произносится "мисиз") - перед именем замужней женщины;

Miss ("мис") - перед именем девушки или незамужней женщины;

Ms. ("миз") - новое слово, которое игнорирует подобные различия; оно было введено как эквивалент слова **Mr.,** единого для всех мужчин. Это не единственный пример того, как явление, называемое "политической корректностью" отражается на языке.

Тот факт, что слово **"man"** имеет два значения - "человек; мужчина", вызывает большие нарекания у сторонников этого движения. Например, вместо слова **"mankind** - человечество" они рекомендуют **"human race".**

human - человеческий

human being - человеческое существо, человек

Слово "**human**" созвучно с русским "гуманный", но это "ложная подсказка"; существует хотя и похожее, но другое слово:

humane - человечный, гуманный.

Часто встречается еще одно слово, немного суховатое, но зато самое беспристрастное:

person - человек; лицо

She is a very interesting person. - Она очень интересный человек.

Why do you think he is a bad person? -

Почему вы думаете что он плохой человек?

to be there in person - присутствовать лично.

Рассмотрим три производные этого слова; последние из них очень похожи между собой, их иногда путают даже американцы:

personality - личность

personality cult - культ личности

split personality - раздвоение личности;

personal - личный

personal belongings - личные вещи; пожитки

This is my personal opinion. - Это мое личное мнение.

Please don't get personal! -

Пожалуйста, не переходите на личности!

Don't take it personally. - Не принимайте это на свой счет.

personnel - персонал; сотрудники, кадры;

Personnel Department - отдел кадров.

Приведем несколько слов, описывающих интеллектуальные качества. Два простых прилагательных - **clever** - умный; **silly** - глупый; почему-то звучат не так уж часто. Слово **clever** в современной речи к тому же несет оттенок изощренности, даже хитрости:

This man is a clever politician. He can talk himself out of any situation. - Этот человек - ловкий политик. Он может выкрутиться из любой ситуации благодаря своим ораторским способностям.

Два других слова, напротив, стали сверхпопулярны, особенно в молодежной и бытовой лексике:

smart - умный, сообразительный

stupid - глупый, дурацкий

This guy is smart and good-looking. -
Этот парень - умный и симпатичный

Stop asking such stupid questions. -
Перестань задавать такие идиотские вопросы.

Еще несколько разговорных синонимов слов "умный" - **bright; brainy** и "глупый" - **brainless; dumb.**

Три слова часто характеризуют способности -
able -способный; **gifted** - одаренный; **talented** - талантливый:

He is a very able student. - Он - очень способный ученик.

Интересно, что слову "дурак", столь популярному в русском языке, точного перевода нет. Ближе всего к нему стоит, видимо, **"stupid person".** Слово "**fool** - глупец" звучит помягче, особенно когда его употребляют по отношению к самому себе:

I know I was a fool. - Я знаю, что вел себя глупо.

He isn't such a fool as he looks. - Он не так глуп, как выглядит.

Слово "**intelligent** - умный" говорит только об интеллекте и не может переводиться как "интеллигентный".

He is intelligent and well-educated. - Он умен и хорошо образован. Необычна судьба этого слова: оно было заимствовано русским языком, его значение изменилось, потом оно вернулось в английский в виде нового слова "**intelligentsia** - класс образованных людей".

Рассмотрим теперь исключительно важное слово, которому нет соответствия в русском; переводить его приходится широким спектром значений:

mind- ум, рассудок, голова, память, мнение, душа - в общем, наше психическое содержание.

best minds of our time - лучшие умы нашего времени

What's on your mind? - Что у вас на уме?

You must be out of your mind! - Вы с ума сошли!

So many men, so many minds. - Сколько голов, столько умов.

He has lost his mind. - Он потерял рассудок.

I'm still in my right mind. - Я все еще в своем уме.

I can read your mind. - Я могу читать ваши мысли.

My mind is clear now. - Мои мысли прояснились.

To my mind, this is foolish. - На мой взгляд, это глупо.

to be of one mind - придерживаться одного мнения

to keep in mind - помнить; иметь в виду

Please keep it in mind. - Пожалуйста, не забывайте об этом.

She is in a terrible state of mind. - Она в ужасном состоянии духа.

Out of sight, out of mind. (Посл.) - С глаз долой - из сердца вон.

It came to my mind that... - Мне пришло в голову,что...

In my mind's eye I still see it. -

В своем воображении я все еще вижу это.

He has a mind of his own. - Он себе на уме.

She doesn't know her own mind. - Она сама не знает чего хочет.

Это далеко не все полезные выражения, где встречается существительное **mind**. Но более того, это слово может быть и глаголом. У него два основных значения, причем они достаточно разные и только косвенно перекликаются с существительным; первое из них весьма непривычно для нас.

mind - 1) обращать внимание; считаться с чем-то

Never mind! - Не обращайте внимания! Не беспокойтесь!

I've lost my key. - Never mind! I have another one. -

Я потерял свой ключ.-Ничего страшного! У меня есть еще один.

Mind the dog (the step, the doors)! -

Осторожно (обратите внимание на собаку, ступеньки, двери)!

Mind your own business! -

Занимайся своим делом (не лезь в чужие дела)!

Mind what you say! - Думай, что говоришь!

Don't mind me, I will leave soon. -

Не обращай на меня внимания, я скоро уйду.

2) не возражать; быть не против сделать что-то; (чаще всего употребляется в отрицательных предложениях):

Do you mind if I open the window? -

Не возражаете, если я открою окно?

I can wait if you don't mind. -

Я могу подождать, если вы не возражаете.

I wouldn't mind having breakfast first. -

Я бы не против сначала позавтракать.

И напоследок два выражения, похожих только внешне; первое из них дословно соответствует русскому (оно, кстати, очень часто встречается в разных рекламах):

peace of mind - спокойствие духа.

Второе является типичной идиомой и поэтому дословно переводиться не может (это разговорное, неформальное выражение):

to give someone a piece of your mind -

высказать недовольство; отругать

This is outrageous! When I see Bob I'll give him a piece of my mind. - Это возмутительно! Когда я увижу Боба, я скажу ему пару теплых слов.

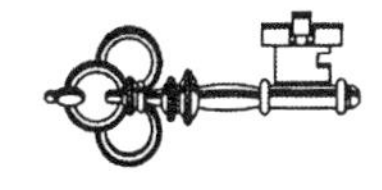

Глава 37

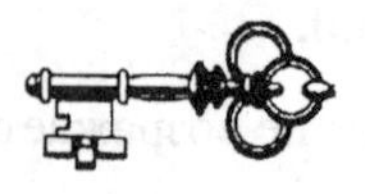

MIND YOUR OWN BUSINESS!

При изучении иностранного языка на студента обрушивается целая лавина незнакомых слов. При этом, как мы знаем, большинство слов имеет несколльк значений. Память наша ограничена, поэтому изучаемые слова нужно как-то ранжировать. Первый показатель важности слова - частота его встречаемости в текстах или в разговорной речи (существуют специальные словари и таблицы, где эта частота посчитана на большом статистическом материале). Но помимо количественных факторов некоторые слова к тому же очень продуктивны - вокруг них, как вокруг оси, формируются ключевые понятия. Такие слова требуют, естественно, особого внимания.

Но в каждом языке такие базовые слова образуются по-своему. Поэтому встает и обратная задача - проанализировать привычные нам русские слова, увидеть их многозначность и найти английские слова или выражения, которые соответствуют каждому значению.

Давайте рассмотрим такой набор английских слов, отражающих разные оттенки слов "делать - дело". Удивительно, что эта связка, столь естественная для нас, в английском языке не присутствует. Функции русского глагола “делать” выполняют два английских - **do** и **make** (сплетенные в хитрый клубок), а такое универсальное слово как “дело” приходится переводить целым набором слов.

Разговор о глаголе у нас впереди, а начнем мы с существительного:

business - 1) дело, занятие (в широком смысле)

That's not your business! - That's none of your business! -

Это не ваше дело!

What is your business here? - Что вы здесь делаете?

Get your nose out of my business. - Не суй нос в мои дела.

Listen, I mean business! - Послушай, я говорю серьезно.

Let's get down to business. - Давайте приступим к делу.

This is a part of a teacher's business. -

Это входит в обязанности учителя.

to mix business with pleasure - сочетать приятное с полезным.

business - 2) бизнес, коммерция

We do some business with them. - У нас с ними деловые связи.

She is in the real estate business. -

Она занимается (торгует) недвижимостью.

He is in business for himself. - У него собственное дело.

big business - крупный капитал

small businesses - небольшие предприятия

business hours - рабочие часы

business card - визитная карточка

business trip - деловая поездка; командировка

to go into (go out of) business -

входить в бизнес (выходить из бизнеса)

We need a person to run this business. -

Нам нужен человек, чтобы управлять этим бизнесом.

Следующее слово весьма многогранно, мы еще вернемся к нему:

matter - дело, вопрос

What's the matter? - В чем дело?

This is quite another matter. - Это совсем другое дело.

That's a matter of taste. - Это дело вкуса.

business matters - деловые вопросы

money matters - денежные дела

It is no laughing matter. - Это не шуточное дело.

Еще одно английское слово даже внешне похоже на русское:

deal - дело, сделка

to make a deal - заключить сделку

Well, it's a deal! - По рукам! Договорились!

Big deal! - Большое дело, тоже мне! (Обычно иронически).

Don't worry, it's not a big deal for me. -

Не беспокойтесь, для меня это дело нетрудное.

Ten apples for a dollar? What a geat deal! -

Десять яблок на доллар? Какая удачная покупка!

deal (глагол) - иметь дело; заниматься

Science deals with the facts. - Наука имеет дело с фактами.

He deals with different customers. -

Он имеет дело с разными клиентами.

We'll deal with this problem later. -

Этой проблемой мы займемся позже.

От этого глагола идет и существительное **dealer** - торговец, дилер;

car dealer - торговец автомобилями;

dealership - торговое представительство

Сейчас будет "ложная подсказка" - данное слово не переводится как "афера":

affair - дело (в широком смысле)

Ministry of Foreign Affairs - Министерство иностранных дел

It's my private affair. - Это мое личное дело.

You have to put your affairs in order. -

Вы должны привести ваши дела в порядок.

love affair - любовный роман

affair of honor - дело чести, дуэль.

action - действие, деятельность

a man of action - человек дела

We'll put our plan into action. - Мы претворим наш план в дело.

People judge you by your actions. - Люди судят о вас по вашим делам.

Actions speak louder than words. (Посл.) - Дела красноречивее слов.

deed - деяние, дело (возвышенно)

Good deeds are not forgotten. - Добрые дела не забываются.

dirty deeds - грязные делишки

in word and in deed - на словах и на деле

indeed - в самом деле (синонимы - **really, truly**)

A friend in need is a friend indeed. (Посл). **-** Друзья познаются в беде.

case - судебное дело (у слова "**case**" еще много других значений):

A case goes to court. - Дело направляется в суд.

to win (lose) a case - выиграть (проиграть) дело

an expert on criminal cases - эксперт по уголовным делам

"Дело как конторская папка" переводится словом **file:**

I would like to read my file. -

Я бы хотел ознакомиться со своим делом.

Дело, за которое борются (т.е. принцип), обозначается словом **cause:**

You are fighting for a just cause. - Вы боретесь за справедливое дело.

Следующее английское слово также имеет несколько значений; нас сейчас интересует одно:

point - суть (существо) дела

That's just the point. - В том-то и дело.

That's not the point. - Не в этом дело.

The point is that... - Дело в том, что...

Get to the point. - Переходите к делу.

Speak to the point! - Ближе к делу (говорите по существу)!

You've missed the point. - Вы упустили суть дела.

That's beside the point. - Это к делу не относится.

Слово “дело”, обозначающее профессии, переводится герундием:

горное дело - **mining**

печатное дело - **printing**

Вдобавок, есть еще немало идиом, в которых встречается русское слово "дело":

Ну, как дела? - **Well, how are things?**

Расскажите толком, как было дело? -

Tell me clearly how it all happenned.

Ну и дела! - **What a mess!**

Дело за вами. - **It's up to you.**

У меня много дел. **- I have a lot of things to do.**

Напечатать заголовок - дело одной минуты. -

It'll just take a minute to type the title.

первым делом - **first of all; first thing in the morning**

на деле - **in practice**

то и дело - **constantly; every once in a while**

Никому до него нет дела. - **Nobody cares for him.**

Это плевое дело. - **It's easy as pie.**

За чем же дело стало? - **What is the problem?**

Он дело говорит. - **He is talking sense.**

Я пришел по делу. - **I came on business.**

Без дела не входить. - **Admittance on business only.**

Дело в шляпе. - **Now everything is settled.**

Напоследок еще раз сочная и важная идиома, уже приведенная в прошлой главе:

Mind your own business! - Не лезь не в свое дело!

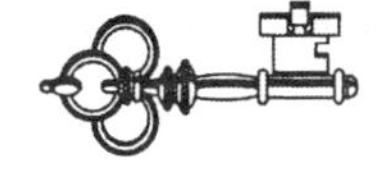

Глава 38

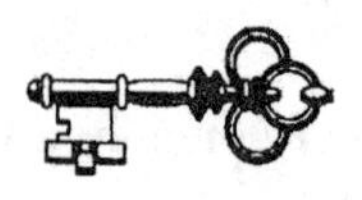

WHAT'S THE MATTER WITH YOU?

Мы посвятили прошлую главу разбору различных значений русского слова "дело" и поиску английских соответствий для них. Сегодня мы займемся "встречной задачей" - рассмотрим многозначное английское слово **matter**. Приведенные здесь конструкции вызывают немало затруднений на начальном этапе изучения языка, но они являются неотъемлемой частью английской речи - как устной, так и письменной - и их усвоение совершенно необходимо.

matter - 1) материя (в философском смысле слова)

The matter is distributed over the Universe. -

Материя распределена по Вселенной.

victory of mind over matter - победа духа над материей (плотью)

2) материал (вещество)

radioactive matter - радиоактивное вещество

gray matter - серое вещество (мозга)

3) материал (в книге, статье и т.д.)

reading matter - материал для чтения

printed matter - печатный материал (такой знак ставят на упаковке, когда отправляют почтой печатную продукцию)

4) содержание (книги и т.д.); сущность

form and matter - форма и содержание

I like the matter of your article, but not the style of it. -

Мне нравится содержание вашей статьи, но не ее стиль.

5) Мы подошли к одному из основных значений

matter - дело; вопрос:

a matter of great importance - очень важное дело

a private matter - личное дело; личный вопрос

small matters - пустяки, мелочи

a matter of opinion - спорный вопрос

a matter of life and death - вопрос жизни и смерти

It is simply a matter of time. - Это просто вопрос времени.

It's not an easy matter. - Это дело не простое.

It's not a laughing matter. - Это дело серьезное (нешуточное).

It's a matter for the police. -

Этим вопросом должна заняться полиция.

Let's see how matters stand. - Посмотрим, как обстоят дела.

As matters stand now this business won't be profitable. - При существующем положении дел этот бизнес не будет выгодным.

Don't tell her about it; this will only make matters worse. -

Не говорите ей об этом - это только ухудшит дело.

To make matters worse he was late for school. -

В довершение ко всему (плохому), он опоздал в школу.

6) В английском языке чрезвычайно распространен оборот:

What's the matter? - В чем дело?

В данном случае речь идет не о любом деле - эта фраза часто несет оттенок раздражения. В этом значении слово **matter** требует более узкого перевода - неприятное дело; затруднение; проблема.

Something is the matter (= is wrong) with the car. -
С машиной что-то случилось.

What is the matter with you today? -
Что с вами сегодня происходит?

Nothing is the matter with me. - У меня все в порядке.

You look worried. Is something the matter? -
Вы выглядите обеспокоенным. Что-то не так?

What's the matter with trying to help him? -
Что плохого, если попробовать помочь ему?

7) значение; важность

No matter! - Ничего! Неважно! Все равно!

If you can't come, no matter. -
Если вы не можете прийти, ничего страшного.

Чаще всего встречается "более развернутая" конструкция:

no matter what (when, how, etc.) - неважно, что (когда, как и т.д.)

No matter what you think, you'll have to do it. -
Неважно, что вы думаете, а делать это придется.

No matter what you say, he won't like it. -
Что бы вы ни сказали, ему это (все равно) не понравится.

No matter when you come, you are welcome. -
Когда бы вы ни пришли, вам здесь рады.

No matter how hard you try, you can't open this door. -
Как бы вы ни старались, эту дверь вам не открыть.

Иногда эта конструкция обрывается после вопросительного слова:

You have to find him, no matter what! -

Вы должны найти его во что бы то ни стало!

Существует еще один важный оборот, который употребляется как вводное слово:

as a matter of fact - на самом деле; собственно говоря

As a matter of fact, I didn't mean that. -

Собственно говоря, я не это имел в виду.

Интересно, что в измененной форме **"matter-of-fact"** этот оборот выступает как прилагательное - "сухой; фактический"; а присоединив суффикс **-ly** - как наречие. Вот пример - в книгах про Джеймса Бонда часто встречаются такие ремарки:

"You've lost," Bond said matter-of-factly. -

- Вы проиграли, - сухо заметил Бонд.

Наконец, слово **matter** может быть еще и глаголом, у которого, к счастью, только одно употребительное значение:

(v) matter - иметь значение

It doesn't matter! - Не имеет значения! Неважно!

Ничего страшного (в ответ на извинения).

It doesn't matter to me. = I don't care about it. -

Мне это безразлично.

It hardly matters at all. -

Едва ли это вообще имеет какое-нибудь значение.

He is getting better, nothing else matters. -

Он выздоравливает, все остальное не имеет значения.

Вот лозунг канала общественного телевидения, который подчеркивает серьезность и глубину его передач:

Keeping what matters in sight. -

Мы держим в поле зрения все то, что действительно важно.

И в заключение, еще один пример (которому уже почти 400 лет) широты значений этого удивительного слова - знаменитый диалог Гамлета и Полония. Мятущийся ум Гамлета переиначивает обыденные понятия - в данном случае в качестве художественного приема Шекспир обыгрывает разные значения слова **matter:**

Polonius: What do you read, my lord?

Hamlet: Words, words, words.

Polonius: What's the matter, my lord?

Hamlet: Between who?

Polonius: I mean the matter that you read, my lord.

На русский язык эту игру слов перевести нелегко. Я нашел это место в четырех разных переводах "Гамлета". Мне кажется, удачнее всего оно звучит в переводе Б. Пастернака:

Полоний: Что читаете, милорд?

Гамлет: Слова, слова, слова.

Полоний: А в чем там дело, милорд?

Гамлет: Между кем и кем?

Полоний: Я хочу сказать, что написано в книге, милорд?

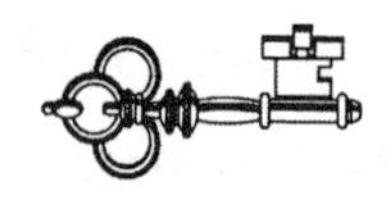

Глава 39

DO OR MAKE? (1)

Мы разобрали проблемы, связанные с переводом на английский русского слова “дело”. На очереди - перевод глагола “делать”. Должен признаться, что я долго откладывал написание этого материала в надежде найти четкую идею, разделяющую употребление глаголов **do** и **make**. К сожалению, красивого и легкого решения этой проблемы что-то не видно, зато пришло понимание дополнительной сложности: каждый из этих двух глаголов имеет несколько значений, часть из которых не переводится словом “делать” (обратите далее внимание на подобные примеры). Мы невольно как бы отмахиваемся от этих деталей в поисках “главного” слова, а на самом деле только усложняем этим свою задачу.

Так что ничего не поделаешь, придется подробно разбираться с этими глаголами, как и с другими сверхважными английскими словами. Начнем с **to do.**

1) Глагол **to do** “фундаментально задействован” в английской грамматике; в этом разделе мы не будем обсуждать его грамматические функции - мы их только назовем:

- построение вопросов и отрицаний в **Present (Past) Indefinite;**
- так называемые **Tag Questions: You swim well, don’t you?**

- усиление основного глагола: **I did see him.**

- замена основного глагола: **He reads a lot. - So do I.**

А теперь его смысловые значения:

2) совершать действие или работу (в широком понимании):

Did you do your homework? - Ты сделал домашнюю работу?

I have some work to do. - Мне надо сделать (кой-какую) работу.

You'd better do as you're told. -

Ты бы лучше делал как тебе сказано.

I need a good do-it-yourself book. -

Мне нужна хорошая книга из серии "Сделай сам".

3) продвигаться в каком-то деле; быть успешным:

I can't dance. - Come on, you're doing fine. -

Я не умею танцевать. Да брось ты, у тебя хорошо получается.

I'm Tom's father. How is he doing? -

Я - отец Тома. Как его успехи?

Видимо, отсюда и идут стандартные обороты:

How do you do? - (формальное) Здравствуйте! и живое

Hi, how are you doing? - Здрасьте, как дела (успехи)?

Воспользуемся этим отступлением и зафиксируем несколько популярных разговорных выражений:

What can I do for you? - Чем могу быть вам полезен?

Can you do me a favor? - Вы можете оказать мне услугу?

Are you doing anything tomorrow? -

У вас есть какие-нибудь планы (дела) на завтра?

He has done much for me. - Он многое сделал для меня.

4а) (с названиями предметов) типичное действие с этим предметом (для нас такое употребление очень непривычно):

Can you do the dishes (the laundry)? -

Вы можете помыть посуду (сделать стирку)?

She needs to do her hair (her face). -

Ей надо причесаться (накраситься).

You have to do your room. - Ты должен убрать свою комнату.

I'd like to do math this year. -

Я бы хотел изучать математику в этом году.

I want to do the beets with apples. -

Я хочу приготовить свеклу с яблоками.

He likes his meat well-done. -

Он любит мясо хорошо прожаренным.

He did ten years in prison. - Он отсидел десять лет в тюрьме.

Are you sure your son doesn't do drugs? -

Вы уверены, что ваш сын не употребляет наркотики?

4b) (часто с **-ing** формой глагола) заниматься какой-то деятельностью:

to do the shopping - ходить по магазинам; делать покупки

to do painting (gardening) - заниматься живописью (садоводством)

I have done enough reading for today. -

Сегодня я читал достаточно.

At lunch he did all the talking. -

За ланчем только он один и говорил.

Обычно при попытках разграничить употребление **do** и **make** выделяют идею "конструирования": то, что изготавливается из каких-то материалов, описывается глаголом **make:**

What are you doing? - I'm making a pie. -

Что ты делаешь? - Я делаю пирог.

Однако эта логика не всегда убедительна - похоже, язык часто делает свой выбор случайным образом:

to do repairs - ремонтировать вещь

to make renovations - ремонтировать квартиру (дом)

to do the cooking - to make lunch

to do the salad - to make coffee.

Так что давайте понаблюдаем за этими двумя словами.

В разговоре на денежные темы:

What do you do? - Чем вы занимаетесь?

What do you do for a living? - Чем ты зарабатываешь на жизнь?

How much do you make? - Сколько ты зарабатываешь?

He makes a lot of money. - Он зарабатывает кучу денег.

Особый оборот: **to do good (harm)** - приносить пользу (вред)

A walk will do you good. - Прогулка пойдет вам на пользу.

It won't do any good to complain to the police. -

Жалоба в полицию ни к чему не приведет.

It won't do you any harm to read this book. -

Прочитать эту книгу тебе не повредит.

I'll do my best. - Я сделаю все возможное.

5) еще одно значение - годиться, подходить; быть достаточным

This little bed will do for the baby. -

Эта кроватка подойдет для ребенка.

You don't need vinegar for this. Lemon will do. -

Вам не нужен уксус для этого. Лимон вполне подойдет.

That will never do! - Это совершенно не подходит!

I have only $10 on me. - That will do. -

У меня с собой только 10 долларов. - Этого хватит.

He does with little food. - Он обходится малым количеством пищи.

Обратите внимание на крайне распространенную конструкцию - перевод особых трудностей не вызывает, но надо приложить усилия, чтобы ввести ее в свою речь:

to have something (anything, nothing) to do with -

иметь отношение к (чему-либо);

His job has something to do with computers. -

Его работа имеет какое-то отношение к компьютерам.

Do you have anything to do with this project? -

Вы имеете какое-нибудь отношение к этому проекту?

This picture has nothing to do with art. -

Эта картина не имеет ничего общего с искусством.

Приведем еще одно значение **do,** где этот глагол стоит в 3-й форме:

6a) завершать, заканчивать (для нас это порой звучит непривычно):

This work is almost done. - Эта работа почти закончена.

One more phone call and I'm done. -

Еще один звонок и я заканчиваю.

Are you done with these scissors? -

Вам эти ножницы больше не нужны?

6b) предлог **for** меняет смысл - прийти в негодность; погибнуть:

I'm afraid this tire is done for.

Я боюсь, что этой шине пришел конец.

The teacher saw us. We are done for! -

Учитель видел нас. Нам крышка!

Вот полезный оборот, значение которого зависит от предлога:

What did you do with my umbrella? -

Куда ты девал мой зонтик? (т.е. где он?)

What did you do to my umbrella? -

Что ты сделал с моим зонтиком? (Например, он сломан)

Есть еще один живой оборот - когда человека хвалят за что-то сделанное, употребляется конструкция, в которой могут стоять самые разные эпитеты:

You did a great (wonderful, fantastic) job! - Ты просто молодец!

И напоследок одна необычная идиома, где **do** является существительным:

do's and don'ts - то, что можно и чего нельзя делать;

a diet with numerous do's and don'ts -

диета с многочисленными предписаниями и запретами.

Основные конструкции с употреблением глагола **make** представляются мне более сложными, и мы займемся их рассмотрением во втором томе этого пособия.

Глава 40

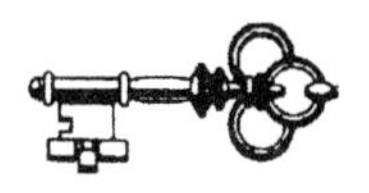

COME OR GO? (1)

Эта пара слов также доставляет немало трудностей. Глаголы, описываюшие движение, во многом отличаются в русском и английском языках. Посмотрите: одно только, самое первое, значение глагола **go** переводится на русский целым набором слов: “идти, пойти, ходить; ехать; передвигаться и т.д.”. А ведь у этого глагола есть еще множество других значений. Для начала выделим из этой необозримой информации несколько ключевых фрагментов:

1) Очевидное различие - в отличие от русского “идти”, **go** обозначает любое движение:

to go by train (by plane, etc.) - ехать на поезде, лететь на самолете и т.д. Поэтому, когда надо показать, что человек “идет ногами”, английский язык использует глагол “**walk** - 1) идти пешком; 2) гулять, прогуливаться”, что поначалу непривычно дл нас:

Where are you going? - Куда вы идете?

Why are you walking so slowly? - Почему вы идете так медленно?

Do you walk to work? - No, I go there by bus. -

Вы ходите на работу пешком? - Нет, я езжу на автобусе.

The bank is only a ten minute walk from here. -

До банка всего лишь десять минут ходьбы.

The pharmacy is within walking distance of our home. -

Аптека недалеко от нашего дома (до нее можно дойти пешком).

2) Второе различие должно быть столь же очевидно с первых же шагов по изучению английского, однако здесь часто слышны ошибки. Глаголы **come** и **go** - это противоположности, антонимы. **Come** обозначает движение в сторону говорящего, а **go** - движение от него. У таких употребительных слов, как водится, значения дальше усложняются, перепутываются и иногда они будут означать одно и то же; но их "изначальную противоположость" надо обязательно усвоить:

Do you want to come? - No, I want to go away. -

Ты хочешь придти? - Нет, я хочу уйти подальше.

Guess, who is coming? - Угадай, кто (к нам) приходит?

The meeting was coming to an end. - Собрание подходило к концу.

It's nice to be with you but I have to go. -

С вами хорошо, но мне надо уходить.

Easy come, easy go. - (Посл.) Что легко досталось, легко и уйдет.

Показательно, что команда собаке "Ко мне!" по-английски звучит "**Come!**".

3) У глагола **go** есть более узкое, но все же важное значение, которое как бы усиливает эту идею ухода, исчезновения:

The salt is all gone. - Соль вся кончилась.

By morning the smell will be all gone. -

К утру запах весь улетучится.

When I came back he was gone. - Когда я вернулся, он исчез.

She is ill, and her hearing is going. -

Она больна, и у нее пропадает слух.

Вот стандартная фраза, которую произносит ведущий, продавая вещь на аукционе:

Going, going, gone! - Уходит, уходит, продано! (Прекрасная иллюстрация употребления инговой и III форм).

4) Глагол **go** регулярно употребляется с **-ing**-формой многих глаголов, называющих какое-то занятие:

to go swimming - идти купаться

to go skiing - идти кататься на лыжах

to go shopping - идти за покупками (по магазинам)

Иногда занятие обозначается существительным - тогда нужен предлог **for**:

to go for a walk (for a ride, for a swim) -

пойти погулять (покататься, искупаться).

У глагола **come** таких привычных сочетаний намного меньше; назовем здесь одно, очень употребительное:

to come true - сбываться

Everything he predicted came true. -

Все, что он предсказал, сбылось.

5) В русском языке когда какие-то механизмы функционируют нормально, мы говорим, что они "хорошо ходят". В английском самый привычный для этого значения - глагол **run**:

Buses run every five minutes on weekdays. -

В будни автобусы ходят каждые пять минут.

The ferries are not running today. - Паромы сегодня не ходят.

Еще одна устойчивая русская конструкция - "Это платье вам идет". В английком здесь совсем другой пласт выражений. Мы посвятим целую главу во второй книге русским оборотам "это вам идет; это мне подходит", сейчас лишь наметим перевод:

This dress is becoming to you. This hat looks well on you.

Точно также, надо привыкнуть, что атмосферные осадки "не связаны" с глаголом **go**:

Идет дождь (снег). - **It's raining (snowing).**

Пошел дождь. - **It started to rain.**

В главе о будущем времени мы подробно обсуждали "грамматическое употребление" глагола **go**:

I'm going to go there. - Я собираюсь пойти туда.

И еще три очень употребительных выражения уже появлялись в этой книге:

go ahead и **how come** - в главе о приветствиях;

let go - в главе о глаголе **let**.

У глаголов **come** и **go** есть еще немало более узких значений и великое множество сочетаний с предлогами. Во второй книге нам придется посвятить этой теме отдельную главу, а сейчас приведем несколько самых важных подобных сочетаний, без которых в Америке нельзя ступить ни шагу:

to come of - получаться (в результате чего-либо)

I'm afraid no good will come of your plan. -

Боюсь, что ничего хорошего из вашего плана не выйдет.

to come out - выходить (чаще в переносном смысле)

This book will come out in November. - Эта книга выйдет в ноябре.

to go out - выходить

She went out and didn't come back. - Она вышла и не вернулась.

Однако, чаще всего этот оборот имеет дополнительную окраску - выходить из дома, чтобы развлечься:

Yesterday we went out for dinner. -

Вчера мы сходили пообедать (в ресторан).

Mom, can I go out and play now? -

Мам, могу я теперь пойти (на улицу) поиграть?

Are you going out tonight? -

Вы куда-нибудь идете сегодня вечером?

Это выражение столь популярно здесь, что в речи русских американцев появился удивительный гибрид : “пойти в аут - т.е. пойти развлечься”. В этой связи приведем здесь еще одно “чисто ресторанное” выражение - **to go** на конце фразы:

I want to order a hamburger to go. -

Я хочу заказать гамбургер “на вынос”.

Two pizzas, please. - To stay or to go? -

Две пиццы, пожадуйста. - Здесь (будете кушать) или с собой?

Исключительно важным является сочетание **to go on**:

1) происходить

What’s going on? - Что происходит?

2) продолжать

Life is going on. - Жизнь продолжается.

Go on, I’m listening. - Продолжайте, я слушаю.

He went on and on. - Он никак не мог остановиться.

The list goes on and on and on. -

Этот список можно продолжать до бесконечности.

Восклицание **come on** (произносится как одно слово с ударением в конце) слышится на каждом шагу и означает совсем другое:

1) поторопить собеседника

Come on, Jim, we have to go! - Давай скорей, Джим, нам надо идти!

2) приободрить его

Come on, let's go right now! - Ну давай же, пошли прямо сейчас!

3) выразить недоверие (иногда шутливое)

Oh, come on, who will believe that crap? -

Да ладно, кто поверит в такую фигню?

Закончим мы немножко старомодной идиомой, которая тем не менее прочно держится в языке:

Come what may. - Будь что будет.

He said, "I'll go to America, come what may." -

Он сказал: "Будь что будет, поеду в Америку".

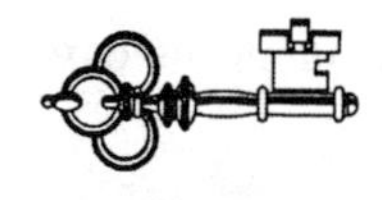

Глава 41

I GOT THE MESSAGE!

Глагол **"get"** занимает особое место в английском языке. Даже среди самых распространенных и многозначных глаголов он выделяется какой-то особенной универсальностью - иногда он встречается в речи так часто, что создается ощущение, что "он работает один за всех". Самое интересное, что такая "сверхупотребимость" глагола **"get"** относится только к живой, неформальной речи; в официальной или научной лексике он встречается не так часто.

Начнем с рассмотрения основных значений этого глагола:

get - 1) получать (обратите внимание, что этот русский глагол тоже употребляется достаточно широко):

She gets $200 a week. - Она получает 200 долл. в неделю.

You got what you deserved. - Ты получил то, что заслужил.

I never got your letter. - Я так и не получил ваше письмо.

He got ten years in prison. - Он получил десять лет тюрьмы.

When you add 2 and 2, you get 4. -Складывая 2 и 2, вы получаете 4.

It's always nice to get a gift for your birthday. -

Всегда приятно получить подарок на день рождения.

He got a raise last month. -

В прошлом месяце он получил прибавку к зарплате.

to get a permission - получить разрешение

to get a Master's degree at Columbia University -
получить степень магистра в Колумбийском университете
I called you and left a message on the answering machine.-
Yes, I got it. - Я звонил вам и оставил сообщение на автоответчике.
- Да, я получил его (мы увидим далее, что выражение
"to get the message" употребляется и в другом смысле).

2) глагол **"get"** охватывает понятия "получения, приобретения" в значительно более широкой степени, чем это нам привычно - поэтому иногда ему соответствуют русские глаголы "заполучить, раздобыть, достать":

Where did you get this book? - Где вы достали эту книгу?

Where can I get something to eat? -
Где мне раздобыть чего-нибудь поесть?

It's hard to get tickets for this show. -
На этот спектакль трудно достать билеты.

It's hard to get a taxi here. - Здесь трудно поймать такси.

Для того, чтобы перевод правильно звучал по-русски, иногда приходится использовать и другие глаголы:

This room gets very little sunshine. -
В эту комнату попадает очень мало света.

I got several phone calls today. -
Мне сегодня звонили несколько раз.

Обратите внимание на важную особенность - глагол **"get"** описывает "получение" и для себя и для другого человека:

He got a new job. - Он нашел (получил) новую работу.

He got me a job. - Он нашел мне работу.

I'll get you this book. - Я достану (найду) тебе эту книгу.

Когда речь идет о конкретном предмете, здесь появляется еще один оттенок - "принести":

Get me my shoes. - Принеси мне мои туфли.

Get me some cigarettes. -

Раздобудь мне сигарет (купи или возьми где-нибудь).

Сюда же относится значение "подхватить болезнь":

I got a cold. - Я подхватил насморк.

He got a rare tropical desease. -

Он заболел редкой тропической болезнью.

3)следующее значение - "понимать; улавливать смысл":

I didn't get the joke. - Я не понял этой шутки.

I didn't get the last sentence. -

Я не уловил последнее предложение.

You got me wrong. - Вы меня неправильно поняли.

I want to get it clear - yes or no? - Я хочу ясно понять - да или нет?

Do you get what I mean? - Ты понимаешь, что я имею в виду?

Oh, yeah, now I got the message. -

Ну да, теперь я все понял (до меня дошло).

4) следующее значение относится к перемещению в пространстве - "добираться; попадать":

Usually I get home by 7 o'clock. -

Обычно я добираюсь домой к 7 часам.

Yesterday we got home late. - Вчера мы поздно попали домой.

Can I get there by train? - Могу я добраться туда поездом?

5) мы переходим к чрезвычайно важному значению глагола **"get",**

которое нельзя свести к одному русскому слову; оно обозначает начало процесса, переход из одного состояния в другое. Посмотрите, как глагол **"get"** действует в связке с прилагательным и как он контрастирует с глаголом **"be"**:

to be angry - быть сердитым

to get angry - рассердиться

to be tired - быть усталым

to get tired - уставать

to be married - быть женатым

to get married - жениться

He got sick, but soon he got well. -

Он заболел, но скоро поправился.

We got wet in the rain. - Мы промокли под дождем.

Butter gets soft in a warm room. - Масло делается мягким в тепле.

I got hungry. - Я проголодался.

He went out and got drunk. - Он пошел и напился.

She got lost in the woods. - Она заблудилась в лесу.

А теперь сделаем одно отступление. Как вы знаете, английская система глагольных времен позволяет не только показать хронологию событий, но и отметить, в какой стадии находится действие. Времена **Continuous** употребляются, когда действие продолжается, находится в развитии; времена **Perfect** указывают на результат, совершенность действия.

А как же показать, что действие только начинается? Специальной грамматической формы для этого нет, и данное значение глагола **"get"** как бы заполняет эту брешь:

Get going! - Пошел! Марш! (начинай двигаться).

It's time for us to get going. - Нам пора двигаться.

When they get talking, it's hard to stop them. -
Когда они начинают болтать, их трудно остановить.

При этом сам глагол "get" может стоять в продолженном времени, чтобы акцентировать растянутость начала действия:

Your tea is getting cold. - Ваш чай начинает остывать.

You are getting fat, my friend. - Ты начинаешь полнеть, мой друг.

It was getting dark. - Смеркалось.

It's getting better all the time. - Становится все лучше и лучше.
(Это не из кинофильма "Кубанские казаки", а припев одной из ранних песен **The Beatles -** ребят можно понять: им по 20 лет и этот мир им явно нравится).

Мы продолжим разговор о глаголе **"get"** в следующей главе. А этот материал закончим детской загадкой-шуткой:

What happens when you throw a green book in the Red sea? -
Что происходит, когда вы бросаете зеленую книгу в Красное море?
(It gets wet. - Она становится мокрой).

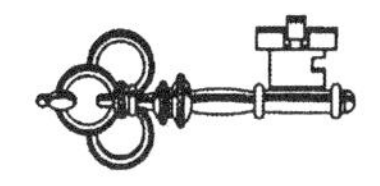

Глава 42

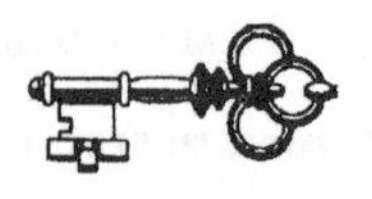

GOT TO GET MOVING!

Мы продолжаем разговор об основных значениях глагола **"get"**. Одно из таких значений иначе как удивительным не назовешь - в форме **Present Perfect (have got)** этот глагол полностью эквивлентен глаголу **"have".**

I've got a friend. = I have a friend. - У меня есть друг.

Это значение издавна живет в английском языке, и всегда было разговорным, не вполне литературным. По поводу того, зачем нужно такое дублирование, можно сослаться на мнение знаменитого английского лексикографа Фаулера: возможно, все дело в привычке к сокращению (**I've** вместо **I have**; **he's** вместо **he has** или **he is**); без добавочного слова сокращенную форму трудно услышать и понять именно в устной речи.

Приведем несколько практических замечаний на эту тему:

1) В американском варианте английского языка этот оборот не употребляется в прошедшем времени:

I've got two tickets now. - I had two tickets yesterday.

2) У глагола **"get"** существует два варианта III формы (причастия прошедшего времени) **- got** и **gotten**. Второе слово считается устаревшим; при этом, как ни странно, в Америке употребляются они оба, а в Англии - только первое.

В качестве эквивалента глагола **"have"** употребляется только первое из этих двух слов:

I've got a new car. = I have it. - У меня (есть) новая машина.

I've gotten a new car. = I've bought it. - Я приобрел ее.

3) Как известно, глагол **"have"** сам имеет чрезвычайно важное второе значение (когда после него стоит частица **to**) - **have to = must:**

I have to work. - Мне надо работать.

Очень важно, что оборот **"I've got"** дублирует **"I have"** в обоих его значениях: **I've got to go.** - Мне надо идти.

4) Последняя конструкция употребляется настолько часто, что в живой речи образовалась слитная форма: **gotta = got to**; она встречается и в литературе для передачи бытового разговора. В быстрой речи звук **"t"** становится звонким и **"gotta"** звучит как **[gada].**

Вот первая строка из популярной песни Элтона Джона:

What do I gotta do to make you love me? -

Что мне надо сделать, чтобы ты полюбила меня?

И еще одна деталь. В реальном разговоре местоимение может быть отброшено:

(I've) got to stay here. - (Мне) надо остаться здесь.

На место второго глагола может также попасть глагол **"get".** Тогда и получается необычный оборот, который вынесен в заголовок:

Got to get moving. - Надо двигаться (т.е. пора идти). Так часто говорят, уходя из гостей.

Gotta get dressed. - Надо одеваться.

Следующее значение **"get"** также необычно для нас - "добиться того, чтобы человек или предмет совершили нужное действие":

Can you get your brother to help us? -

Вы можете уговорить вашего брата помочь нам?

I can't get them to listen to me. -

Я не могу убедить их выслушать меня.

I can't get this old radio to work. -

Не могу сделать, чтобы это старое радио работало.

We could't get the car started. - Мы не могли завести машину.

We finally got the firewood to burn. -

Наконец, нам удалось разжечь дрова.

She'll get him to do this work. -

Она добьется того, чтобы он сделал эту работу.

Последнее из основных значений этого "необъятного" глагола - "поймать, схватить; попадать в кого-то":

Get him before he escapes. - Хватай его, пока он не убежал.

The bullet got him in the arm. - Пуля попала ему в руку.

Представьте себе, что полицейские ловят бандита. Тогда ликующий возглас: **"I got him!"** может означать две вещи:

1) Попался! Поймал! (если его ловят руками).

2) Готов! (если в него стреляют).

Это выражение характерно также для детских игр, что привело к образованию еще одной слитной разговорной формы:

I got you! = I gotcha! [Ай гатча]

There's no getting away. I gotcha! -

Не убежишь (не вырвешься). Я тебя поймал!

Это значение употребляется еще и в переносном смысле - "добраться до кого-то; брать за душу":

I'll get you even if it takes the rest of my life. -

Я до тебя доберусь, даже если на это уйдет остаток моей жизни.

You were lying, I got you there! - Ты врал, вот ты и попался!

This play really got to me. - Эта пьеса захватила меня.

This song doesn't get to me.-Эта песня меня не волнует (не трогает).

It gets me how she treats him. -

Меня задевает, как она с ним обращается.

His stupid remarks really get me. -

Его дурацкие замечания "достают" меня (т.е. раздражают).

The mafia got him before the cops could protect him. - Мафия "достала" его, прежде чем полицейские смогли его защитить.

Глагол **"get"** образует много предложных сочетаний, большинство из которых к тому же многозначно. Рассмотрим лишь наиболее важные из них:

get along - ладить, уживаться с людьми

He didn't get along with his in-laws. -

Он не ладил с родственниками своей жены.

to get at - клонить; подразумевать

What are you getting at? - К чему ты клонишь?

to get away - ускользнуть, улизнуть

Can you get away from the office? -

Ты можешь незаметно уйти с работы?

to get away with - оставаться безнаказанным

He shouldn't get away with it. - Ему это не должно сойти с рук.

to get into - попасть в

I can't get into the house. - Я не могу попасть в дом.

He got into trouble. - Он попал в неприятную историю (в беду).

He got her into trouble. - Он втянул ее в неприятную историю.

She got into debt. - Она влезла в долги.

to get out - выбираться из места, ситуации (этот оборот очень популярен в молодежном жаргоне):

Get out of here! - Убирайся отсюда!

We gotta get out of here. - Нам надо сматываться отсюда.

Приведем также одну характерную идиому:

You are getting on my nerves. - Ты мне действуешь на нервы.

Когда пишешь о глаголе **"get"**, за примерами далеко ходить не надо. Включил телевизор и сразу услышал, как один герой фильма говорит другому:

You got me into this mess, so you've got to get me out of it. - Ты втянул меня в эту заваруху, значит ты должен меня из нее вытащить.

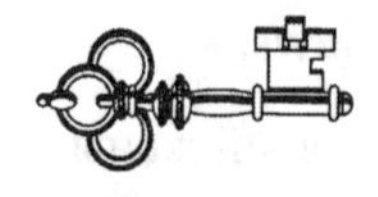

Информационные страницы

АНОНС

В 2002 году выходит из печати

II том книги "Занимательный английский".

I том этой книги призван сделать вашу речь правильной;

II том - поможет сделать ее полноценной.

В нем совершенно по-новому - увлекательно и логично - объяснены трудные значения самых необходимых английских слов, которые только по неопытности кажутся простыми; и приведено множество связанных с ними повседневных разговорных выражений. ***Овладение ими дает мощный толчок развитию разговорной речи.***

Необычное звуковое сопровождение ко II тому: новый, эффективнейший путь к запоминанию разговорных конструкций, слов и идиом.

Для получения информации о выходе этого пособия пришлите адресованный самому себе конверт (с пометкой "II том") по адресу:

V. Leventhal, P.O.Box 378, New York, NY 10040

Названия некоторых глав II тома:

LET'S PUT IT THIS WAY! (о глаголе **put**);
TAKE IT EASY!, TAKE YOUR TIME! (о глаголе **take**);
TIME IS RUNNING OUT! (о глаголе **run**);
I CAN'T STAND IT! (о глаголе **stand**);
DON'T GIVE UP! (о глаголе **give**);
KEEP TRYING! (о глаголе **keep**);
HIT OR MISS! (о глаголах **hit, miss**);
FORGET ABOUT IT! (о словах **forget, wonder** и др.);
ВАМ ЭТО ИДЕТ! (о словах **fit, suit** и др.);
NOW WE ARE EVEN! (о словах **even, odd** и др.);
KEEP YOUR FINGERS CROSSED!
A PERFECT MATCH (о словах **mate, match** и др.);
SIT OR SET?
COME OR GO? (2-й материал);
DO OR MAKE? (2-й материал);
THAT'S KID STUFF! (о словах **staff, stuff** и др.);
DON'T LIE DOWN ON THE JOB! (о словах **lie, lay** и др.);
RISE TO THE OCCASION! (о словах **rise, raise** и др.);
О ПРЕДЛОГАХ И ИДИОМАХ
О ПРЕДЛОГАХ НА НЕОБЫЧНОМ МЕСТЕ
WHERE DO YOU BELONG?
LOOK AT WHAT YOU HAVE DONE!
I'VE BEEN THERE! (о временах группы **Perfect**);
TO BE OR NOT TO BE?
I WANT YOU TO KNOW
ARE YOU READY YET? (о слове "еще");
AND YET ANOTHER DAY (2-й материал о слове "еще");
О СТЕРЖНЕ ЗНАЧЕНИЙ НЕКОТОРЫХ СЛОВ
ОБ АМЕРИКАНСКИХ СУЕВЕРИЯХ
ОБ АМЕРИКАНСКИХ ЗАГАДКАХ
О ЗНАКАХ ПРЕПИНАНИЯ
SPELLING MADE SIMPLE
ОБ АМЕРИКАНСКОМ ПРОИЗНОШЕНИИ
и другие материалы.

КАК ЗАГОВОРИТЬ ПО-АНГЛИЙСКИ

Я вспоминаю, как много лет назад в Москве в среде людей, увлекавшихся изучением английского языка, постоянно слышались жалобы на отсутствие практики. Большой удачей считалось встретить любого американца и поговорить с ним, даже если это был мальчишка-старшеклассник. В разговорах (я сейчас имею в виду тему изучения языка) часто проскальзывал завистливый рефрен: "так он же в Америке целый год жил".

Кто бы мог тогда представить себе, что для десятков тысяч людей, и не год и не два уже проживших в Америке, возможность свободно изъясняться по-английски останется камнем преткновения. И когда мы начинаем размышлять, как развить разговорные навыки, перед нами, как водится, стоят два извечных российских вопроса (на новый лад): "Что учить?" и "Как запомнить?"

Начнем с первого из них. Мне уже приходилось писать, что часто высказываемое обиходное мнение - "грамматика, серьезная работа над словарным запасом - это глубины языка, а для разговора хватит того, что попроще" - в корне неверно. Несмотря на то, что отдельные элементы бытовых диалогов могут быть весьма просты, реальный разговор с его непредсказуемостью является самым сложным языковым умением, т.к. он требует синтеза всех прочих знаний и навыков. Понимание на слух, реальное усвоение грамматических структур (большинство людей не помнит правил родного языка, но мгновенно отличает верную конструкцию от неверной), умение употребить нужное слово - все это кирпичики, которые составляют фундамент полноценной речи.

Допустим, вам надо сказать по-английски такое предложение: “Вы должны уметь прочесть этот текст”. Если вы не знакомы с простым правилом английской грамматики - два модальных глагола не могут стоять в одной фразе (т.е. один из них должен быть заменен своим эквивалентом) - трудно представить, как вы правильно скажете **“You must be able to read this text”.** Аналогичный пример: **“I won’t be able to do it”.** - "Я не смогу сделать это". Конечно, в грамматике есть и второстепенные детали, есть сложные литературные конструкции, которые не всем нужны, но без базы, "костяка" грамматики самые простые фразы превращаются в “кашу”, набор слов. Кстати, эта база не так уж велика и сложна, как это иногда представляется.

Перейдем теперь ко второй составляющей речи - словарному запасу. Повседневные разговоры (на любом языке) обходятся весьма ограниченным запасом слов (многие источники приводят цифры около полутора-двух тысяч слов). Даже тысяча важнейших слов, если вы ими владеете полноценно, даст вам широкие возможности в разговоре. Однако давайте посмотрим, что означает “выучить слово”.

Вот казалось бы совсем простое слово: **care -** забота; уход; внимание; в российской школе его учили на первом году обучения, однако употребление его для нас совершенно непривычно. Приведем примеры:

He is under the care of a physician. -

Он находится под наблюдением врача.

Take care when you cross the street. -

Будьте осторожны, когда переходите улицу.

Mr. Smith, care of Mr. Jones. -

(на письме) М-ру Смиту, на адрес м-ра Джонса.

Глагол **care**, как часто бывает, привносит дополнительные трудности:

She cares for her brother. - Она ухаживает за своим братом.

She cares about her sister. - Она переживает о своей сестре.

I don't care what they say. - Мне все равно, что они говорят.

Will he come? - Who cares? - Он придет? - Кого это волнует?

Если вы знаете только "простой" перевод слова, он может помочь вам при чтении, когда у вас есть время раздумывать и строить догадки; в спешке же разговорной речи он практически бесполезен. В разговоре требуется знать ***образец употребления слова*** - как и с какими словами оно сочетается. Этот вывод очень важен практически; он объясняет, почему чаще всего "голая зубрежка" слов (традиционными или новомодными способами) мало продвигает разговорную речь.

В дальнейшем, на продвинутом этапе изучения языка мы понимаем, что речи необходим элемент образности (идиомы, сравнения и т.д.), иначе она получается невыразительной, однообразной. Расширяется список необходимых слов и конструкций. Интересно, что именно на продвинутом этапе в полной мере осознается проблема употребления предлогов. Важна также, хотя бы в минимальных объемах, синонимия слов - умение в нужный момент заменить слово на равнозначное - в родном языке мы это делаем постоянно и с легкостью.

Но как же все это запомнить взрослому человеку? Почему развитие разговорных навыков, которое легко и естественно происходит у детей, вызывает такие трудности у взрослых? Одна из причин, на мой взгляд, заключается в том, что с возрастом резко увеличивается разрыв между пассивным и активным запоминанием языкового материала. Живая речь требует активно усвоенных конструкций, которые легко вызываются из памяти, как бы сами "приходят на ум". А то, что вы читаете или слышите, ложится в "пассивный отсек" вашей памяти. Что же из этого следует?

Психологам хорошо известно, да и жизненный опыт это подтверждает, что лучше усваивается та информация, которая эмоционально значима для нас, основана на ваших собственных пробах и ошибках. Вспомните, как вы учили арифметику. Почему во всех задачниках ответы "спрятаны" в конце? Потому что ответ, полученный сразу, без собственных усилий, не запоминается даже ребенком. В памяти закрепляется только тот ответ, который явился результатом вашего собственного поиска. ПОИСК - вот ключ к запоминанию. За ним должна следовать ПРОВЕРКА ответа. Здесь-то и включаются ваши эмоции.

В изучении языка этот принцип неявно использовался в методе обратного перевода. Именно по этому методу Шлиман выучил пять языков, так учил языки Луначарский и многие другие известные люди. Об этом методе ходили легенды. В 3О-е годы он был поставлен на современную основу английскими лингвистами, и с тех пор показывал блестящие результаты. Важно подчеркнуть, что этот метод эффективен именно для взрослых людей, для которых необходима "привязка" к логике родного языка. Те особые способности, которыми обладают дети в усвоении родного языка, постепенно и безвозвратно теряются в подростковом возрасте, поэтому попытки "скопировать детское обучение" у взрослых, несмотря на все теоретические доводы, приводят на практике только к потере времени.

Модификацию метода обратного перевода, специально созданную для развития разговорных навыков русскоязычных учеников, с их особенностями психологического и слухового восприятия, я назвал методикой "Индукции речи".

Суть ее - в следующем. Материалы, предназначенные для усвоения (разговорные конструкции, записанные на пленку диалоги, контрольные работы) созданы совместно с американскими специалистами. Затем эти материалы переводятся на русский и выдаются студенту, который должен сначала сделать их обратный перевод, не пользуясь ни книгами, ни чьей-то помощью. Так фиксируется его "разговорный слепок" со всеми имеющимися проблемами. Затем следует этап ПОИСКА правильного решения (здесь можно пользоваться книгами, чьей-то помощью). И, наконец, третий этап - ПРОВЕРКА - студент сверяет свой текст с оригиналом. Это - очень важный момент, он проверяет не чужой текст, а свои догадки и предположения; а это уже эмоциональный процесс. Эти эмоции по отношению к каждой проработанной фразе и есть ключ к запоминанию у взрослого человека.

Результат - разговорные конструкции ложатся в активную память; индуцируют (т.е. вызывают) правильную речь. Процесс выработки разговорных навыков как бы "прокручивается на малой скорости" с последующим анализом и коррекцией ошибок, что очень редко удается в реальном общении. Затем студент прослушивает звукозапись исходного английского текста, закрепляя при этом пройденный материал в слуховой памяти.

Здесь я предвижу скептический вопрос: разве можно учиться разговору за письменным столом? Не спешите с ответом - не только можно, но и нужно. Надо только не путать два процесса - учение и практику. Как раз практика может быть только “живой”, настоящей. Занятия с учителем, тренировка с друзьями, любой разговор “понарошку” - это не есть практика, это все равно учение, хотя и не всегда продуманное. Для того, чтобы быть успешной, практика должна быть хорошо подготовлена, иначе паника и страх, как черной краской, замазывают всю эмоциональную картину живого разговора.

Описанный выше метод развития разговорных навыков в 3-4 раза ускоряет процесс формирования практической разговорной речи. Безусловно, каждый уровень изучения языка имеет свои особенности. Задача начального курса - сделать речь грамотной, правильной на материале диалогов “на все случаи жизни”. Задача же продолженного курса - сделать речь полноценной, развить возможность уверенно выражать свои мысли. У взрослого человека скорость освоения разговорной речи впрямую зависит от эффективности избранной системы обучения. Ничего иного не дано. На чудеса надеяться не стоит.

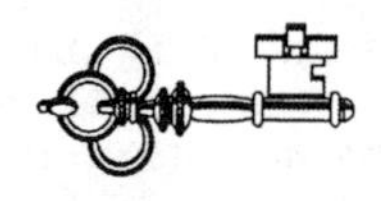

Школа Виталия Левенталя

Информационный листок

1. Имя, фамилия ______________________________
2. Адрес ______________________________
   ______________________ Тел. ______________
3. Возраст □ 20-29 □ 30-39 □ 40-49 □ 50-59 □ 60-69 □70 и более
4. С какого года в Америке ______________________
5. Как учите язык в Америке? ______________________
6. Какие пособия используете (учебники, кассеты и др.)?________
   ____
7. Оснащен ли Ваш телевизор устройством,воспроизводящим титры на английском языке? Если да, то пользуетесь ли им? ______
8. Пользуетесь ли электронным словарем? Если да,то каким?_____
9. Мотивы и основные проблемы в изучении языка _____________

____

____

ФОРМА ЗАКАЗА

Наименование ______________________________ Стоимость

____

____

____

____

Пересылка __________

ИТОГО __________

Вы можете скопировать этот листок, заполнить и прислать его нам. Для получения подробной информации о новинках - напишите "Информация" и вложите адресованный себе конверт с маркой. Для заказа - вложите чек или мани-ордер на имя **V. Leventhal.**

Наш адрес: V.Leventhal, P.O.Box 378, New York, NY 10040

2) ПРОДОЛЖЕННЫЙ КУРС

"БЕСЕДЫ С ШЕРЛОКОМ ХОЛМСОМ"

LEVEL: INTERMEDIATE-ADVANCED

Курс включает следующие материалы:

- книгу ***"The Adventures of Sherlock Holmes",*** адаптированную американскими специалистами для продолженного уровня изучения языка (удалены сугубо британские выражения; сохранен замечательный - простой и красочный - стиль Конан Дойля);
- 1-я брошюра - постраничный комментарий к ней - объяснение трудных слов и выражений, дополнительные примеры;
- 1-я аудиокассета: "**Words and Expressions**", закрепляющая употребление, перевод и произношение этих слов и выражений;
- 2-я брошюра - 400 ключевых разговорных конструкций для проработки по методу "**Индукция Речи**";
- 2-я аудиокассета: "**Stories - Comprehension**" - звуковой пересказ текста, специально созданный для развития навыка гибкого и свободного употребления в речи данных конструкций и их тщательно подобранных синонимов;
- контрольная работа; ее проверка, анализ ошибок, рекомендации по их исправлению;
- индивидуально подобранные дополнительные учебные материалы.

Примерное время занятий - 6-12 недель. (для пенсионеров скидка 10 долларов)

Цена курса - 69 долл. (включая пересылку)

К каждому курсу прилагается подробная инструкция

ВСЕ КАССЕТЫ НАЧИТАНЫ АМЕРИКАНСКИМИ АКТЕРАМИ

Справки по тел. (212) 569-0640

Адрес для заказов:

V.Leventhal, P.O.Box 378, New York, NY 10040

Quicktionary

Scan & See Translator!

QuickWiz Technologies Corporation

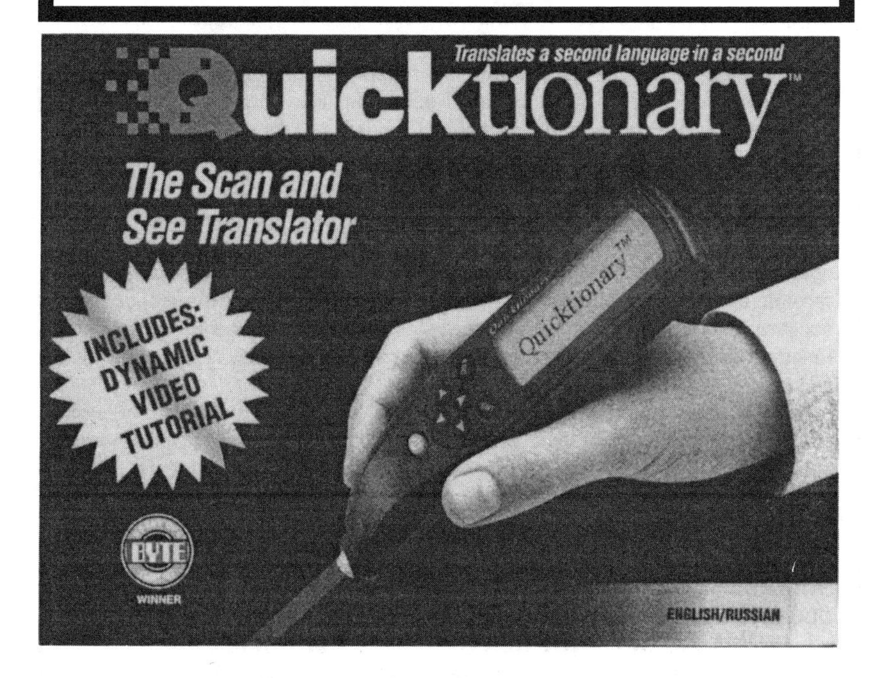

Benefits:

- The Ideal tool for reading and learning English
- Automatically displays translations for a scanned word
- Recognizes over 400,000 words and expressions
- Works on printed material in a wide range of fonts and letter sizes (8 to 14)
- Keeps a history of recent 75 words scanned
- Scans inverted and hyphenated text
- Adjustable for left-handed or right-handed users
- Ideal for students, teachers, travelers, and mobile professionals

How it Works:

- Scan a word from any printed text
- See the various possible translations on the screen

MERRIAM - webster onlineDictionary